ブックレット・ボーダーズ No.10

知られざる境界地域　やまぐち

井竿富雄　編著

特定非営利活動法人 国境地域研究センター

ブックレット発刊によせて

二〇一四年四月、総合的なボーダースタディーズ（境界・国境研究）の振興を目的とした民間の研究所として特定非営利活動法人・国境地域研究センター（ＪＣＢＳ：Japan Center for Borderlands Studies）が誕生しました。世界では、北米を本拠とする境界地域研究学会（Association for Borderlands Studies）、移行期の境界地域ネットワーク（Border Regions in Transition）などの活動が知られてきましたが、我が国には北海道大学グローバルＣＯＥプログラム「境界研究の拠点形成」が始動するまでボーダースタディーズのコミュニティは存在しませんでした。これは海に囲まれた島国・日本に暮らす私たちが境界・国境の問題に長年、無自覚であり、いわば内向きの歴史を積み重ねてきたこととも無縁ではありません。

近年、国際情勢の変動のもと、私たちの意識も大きく変わりつつあります。二〇一一年一一月には、境界・国境地域の実務者と研究機関を結ぶ境界地域研究ネットワークＪＡＰＡＮ（ＪＩＢＳＮ：Japan International Border Studies Network）が設立、また二〇一三年四月、北海道大学スラブ研究センター（当時）に境界研究ユニット（ＵＢＲＪ：Eurasia Border Research Unit, Japan）が設置されるなど、大学・自治体間の連携が強まっています。我が国の将来を見据えたときに、境界・国境問題に対する世界的な研究・実務の経験を学ぶこと、これら知見をもとに私たち自身の境界問題を考えること、さらには境界地域に暮らす人々の目線で地域の発展を模索すること、これらすべてが喫緊の課題になっていると思われます。境界をめぐる様々な問題に関する視座と知識の涵養のため、国境地域研究センターはブックレット・ボーダーズをここに刊行することにしました。本ブックレットがひとりでも多くのみなさんに境界地域のあるがままの姿やその未来への可能性をお届けできる一助になれば私たちの喜びとなります。

国境地域研究センター・ブックレット編集委員会

目次

コラム

はしがき

読者のみなさんの多くは、ブックレット・ボーダーズでなぜ山口が取り上げられるのか、すぐにはピンとこないかもしれない。「西の京」ともいわれ、室町時代の大内文化、毛利家による統治に続き、江戸時代の長州藩は討幕と明治維新の原動力、そして日本憲政史上、最大の八人の首相（続く東京は五人）を輩出しており、ある意味、日本の中心の一つといっても過言ではない。いわゆる「辺境」というイメージは山口にはあまりない。

だがその地理と歴史を紐解いてみれば、山口がゲートウェイとして海外に開かれ、ときには砦として海外と対峙してきたことがすぐにわかる。大内文化は東アジアやキリスト教との交流とともにあり、長州は英国などとの戦争を契機に一挙に欧米と結ぶ開国の先導者ともなった。また山口は九州や朝鮮半島との結節点であり、近現代においても日本の光と影を体現してきた。

大内文化を代表する瑠璃光寺

山口のもつ空間の多様性も興味深い。日本海、太平洋、瀬戸内海に面し、さまざまな漁業が盛んだ。ふくが有名だが、のどぐろもサバ・アジもうまい。中国山地の存在により、山陰と山陽のみならず、山と海のコントラストも深い。一つの県でみかんとりんごが名産となっているのも珍しい。言うまでもなく、地域が分権的である。県都山口市は、そうだと知らなければ、ここが県の中心だとまず誰も思わない。

ふく（提供　山口県観光連盟）

実は私は北海道大学に移る以前、山口県立大学で七年半、教鞭をとった。九州で生まれ育った私は山口が隣りにもかかわらず、九州との違いに眼をみはった。地域はほぼ日本酒文化である。銘酒をはぐくんだ広島の影響が強いのだろう。当時は獺祭や東洋美人といったオバマやプーチンら世界の指導者がたしなむ酒など想像にも及ばなかったが、それでも岩国の銘酒・五橋の純米は私の嗜みを変えた。

私これで焼酎を止めました（新旧銘酒揃い踏み）

山口県立大学キャンパス　（提供　山口県立大学）

「これで焼酎を止めました」というキャッチで地元のミニコミにコラムを載せたほどだ。

北海道に移るとみなその雄大さと自然に驚くといわれる。だが私はまったく驚かなかった。秋吉台を例にだすまでもなく、山口の自然も広大である。北海道のように、まちとまちの間は緑が続き、店もまばらだから、お昼をどこで食べるかあらかじめ考えておかないと、延々とドライブを続けるはめになる。大学から歩いて一〇分の大学宿舎は庭付きで、週末はいつもハーブに囲まれ、バーベキューをしていたが、都会の札幌に暮らすようになってむしろ自然から遠ざかってしまった。

温泉もなかなかのものだ。山口市内にある山口大学の近くには「美人の湯」で知られる湯田温泉がある。山口大学で学会などあるとみな湯田温泉に泊まることになるのだが、それを知らない大学事務から「温泉に泊まるなんて、おまえらは遊びにいっているのか」とクレームをつけられることもあるそうだ。故安倍晋三首相がプーチン大統領を迎えた長門市の湯本温泉をはじめ、各地に温泉がある。

だが極めつけは、日本名湯の西の横綱とさえいわれる俵山温泉のただろう。私はこのブックレットの編集（というか写真撮影）のため二日かけて山口を走り回ったが、山陰を益田から萩を経て下関に向かう途上、看板を目にしてこの湯治場を思い出した。およそ三〇年ぶりに立ち寄った俵山温泉は以前より、確かにさびれていた。だが二軒の外湯と、旅館が連なる、どこか「千と千尋の神隠し」を彷彿させる風景から、ここがしかるべき湯治場であることが一目瞭然だ。温泉はかけ流し。熱くもなく、冷たくもない。いつまでもいつまでも入っていられる。ここから出たくない。その気持ちを身体が思い出させた。このブックレットの執筆者たちが誰もこの温泉について触れていないのが残念だが、永遠につかっていられそうな温泉を私は俵山以外に知らない（北海道では登別温泉が一番のお気に入りだが、あの硫黄泉に永遠に入っていられるとは到底、思えない）。

さて北海道に移ってからも、山口との縁が続いた。山口のなか

俵山温泉

全国平成温泉番付
温泉教授　松田忠徳

番付	東	西
横綱	山形 肘折温泉	山口 俵山温泉
横綱	青森 酸ケ湯温泉	大分 別府鉄輪温泉
大関	秋田 玉川温泉	大分 長湯温泉
大関	群馬 四万温泉	熊本 地獄温泉
関脇	宮城 鳴子温泉郷	鹿児島 栗野岳温泉
関脇	岩手 花巻南温泉郷	大分 湯平温泉
小結	北海道 菅野温泉	島根 温泉津温泉
小結	秋田 後生掛温泉	鹿児島 新川渓谷温泉郷

西の横綱 俵山温泉（「町の湯」にて）

には意外とロシアが存在しているからだ。例えば、I章でも紹介される香月泰男画伯（一九一一～一九七四年）。長門に近い三隅で育った彼は東京美術学校（いまは東京藝術大学）で藤島武二に師事し、絵画を学ぶ。最初の赴任地は北海道の倶知安中学校（いまは高校）。だが寒さに耐えられず、一年あまりで下関の学校へと転出する。その後、戦争で召集され、満州で従軍するが、ソ連に拘束され、より寒いシベリアでの抑留生活を余儀なくされる。帰国後、地元の高校で勤めながら、自宅で従軍や抑留のシーンを綴ったシベリア・シリーズ五七作を創作し、第一回日本芸術大賞を受賞している。

私は山口にいるとき、何度も彼の絵を県立美術館で見ており、彼の生家（いまは香月泰男美術館）にも足を運んだ。札幌に移ってから、ボーダースタディーズのプロジェクトを手掛けることになったとき、北海道大学総合博物館で香月画伯の「業火」の習作を借り出し、展示した。

北大総合博物館で展示された「業火」

いまは亡き息子さんに三隅でご相談したとき、画伯が北海道への思いをもっていることを知った。北海道に暮らした一年はしばしば画伯にとって「不遇の一年」といわれるが、彼はその時期、兎ばかりを描いていた。倶知安で香月を研究していた学芸員の方の話を伺い、むしろ「雌伏の一年」と呼ぶべきではないかとさえ思った。また息子さんによれば、画伯はシベリアから引き揚げた後、すぐに北海道に向かったそうだ。藤島に同じく師事した（画伯は藤島とはそりがあわなかったらしいが）、小川原脩と会うためという（倶知安には小川原脩記念美術館もある）。小川原は戦争を賛美するプロパガンダを行った「戦争画家」として知られ、シベリア抑留を表現したがゆえに「反戦画家」とされる香月と対照的に位置づけられる。だがその二人の間にあった「友情」はあまり知られていない。

ちなみに香月画伯は、従軍中に家族に綴った絵ハガキ三六〇通の「ハイラル通信」でも著名であり、私たちはこの展示も行ったことがある。プロジェクトの過程でシベリア・シリーズとともにすべてデジタル化し、大きな財産となった。

会場となった大谷山荘　もちろん温泉

ロシアについてはもう一つ長門のことを語らねばなるまい。この地の出身である故安倍晋三首相が、二〇一六年一二月にプーチンを出迎えた場所だ。私は札幌テレビの要請で、この寒い日にレポーターとして近くの湯本温泉でプーチンを待っていた。ただいつもの通り、プーチンが遅刻したことにより、夕方の番組は待ちぼうけをくった市民の歓迎を報じるにとどまり、締まらない内容になった。

Ⅲ章でも紹介されるが、長門には日本海に面した青海島という絶景の場所がある。その東の端に、日露戦争の対馬沖海戦（日本海海戦）で敗北したバルチック艦隊からロシア兵の屍が漂着した場所がある。対馬の北端、殿崎に犠牲になったロシア兵全員の名前をロシア語で刻んだ碑があることは、本ブックレット・シリーズの第一巻『国境の島・対馬の観光を創る』でも紹介したが、実は萩や大田（島根県）などにも犠牲となったロシア兵が漂着している。地元の人たちは、ぜひプーチンにここを訪れてほしいと考え、道と会談を整備した。残念ながら、プーチンは行かなかったが、会談の前に、安倍昭恵夫人が足を運んだ。

日露兵士の墓碑（大越の浜）

日本中をくまなく歩いた宮本常一は、対馬の人々を「忘れられた日本人」と表現したことがあるが、私は「やまぐち」のなかに「忘れられた日本の境界」を見る。このブックレットは、行政区分としての山口県を対象としているが、その広がりと向こう側を包摂するために、ここでは「やまぐち」と表現する。やまぐちの長い歴史のなかには、さまざまな空間が息づき、外に開かれるとともに、うちむきには頑な保守性を堅持する。近現代においては、繁栄とともに、多くの犠牲も生みだした。

読者のみなさん、さあ私とやまぐちをさがす旅に出よう。

（岩下　明裕）

※なお、本文中（表紙含む）の写真などで特に明記されていないものは、主に各執筆者及び編集者による提供、もしくはフリーの素材による。また本書は、スラブ・ユーラシア研究センターのプロジェクト「国際的な生存戦略研究プラットフォームの構築」及び同センターが拠点を担う人間文化研究機構グローバル地域研究事業「東ユーラシア研究」の成果の一部でもある。

長門からプーチン訪日実況中継

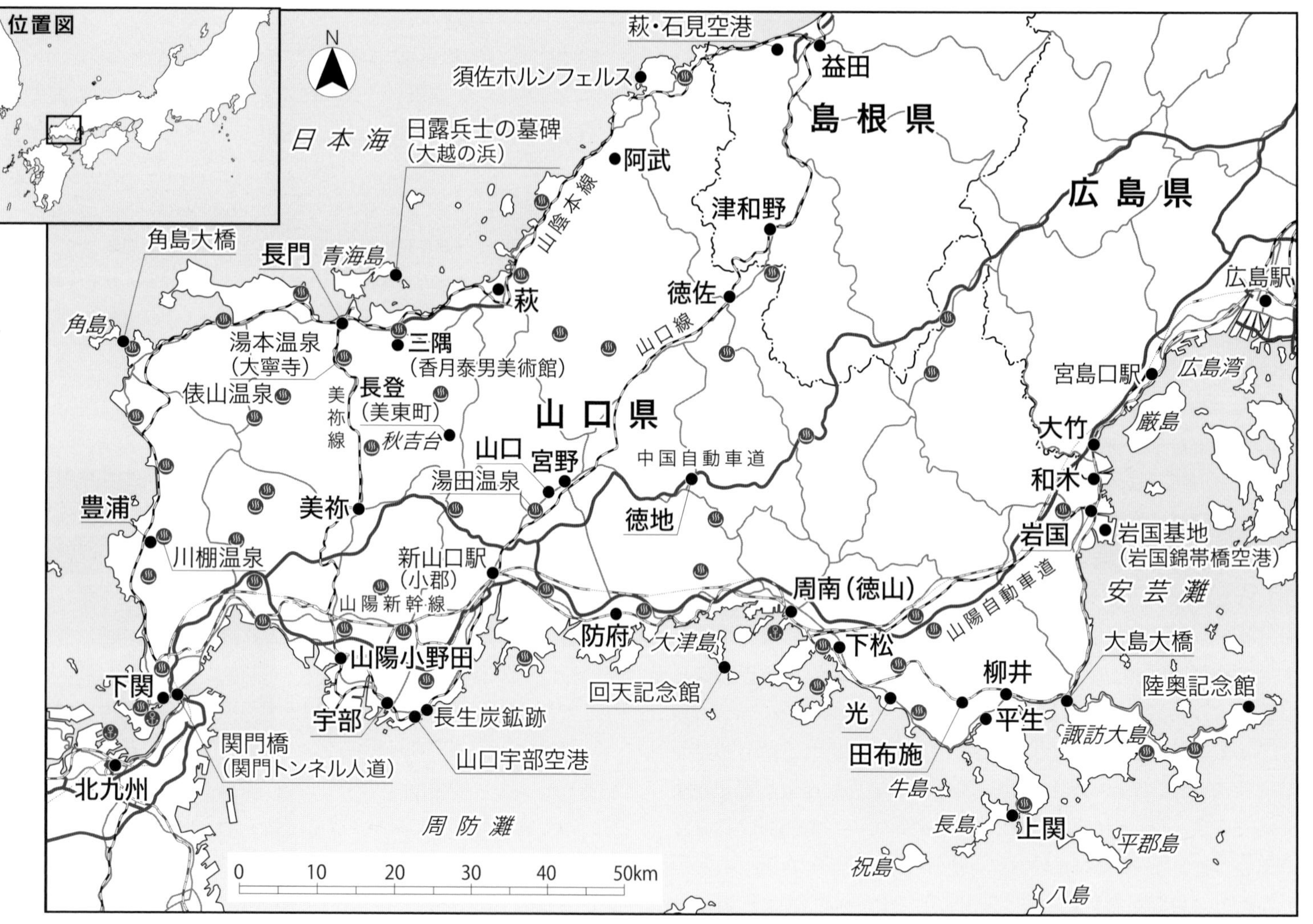

位置図
N
日本海
萩・石見空港
益田
須佐ホルンフェルス
島根県
日露兵士の墓碑
(大越の浜)
阿武
山陰本線
津和野
広島県
角島大橋
長門
青海島
萩
徳佐
広島駅
角島
湯本温泉
(大寧寺)
三隅
(香月泰男美術館)
山口線
宮島口駅
広島湾
俵山温泉
美祢線
長登
(美東町)
山口県
厳島
秋吉台
大竹
山口
宮野
中国自動車道
和木
湯田温泉
美祢
豊浦
徳地
岩国
岩国基地
(岩国錦帯橋空港)
川棚温泉
新山口駅
(小郡)
周南(徳山)
安芸灘
山陽新幹線
山陽自動車道
防府
大津島
下松
大島大橋
山陽小野田
柳井
下関
回天記念館
陸奥記念館
宇部
長生炭鉱跡
光
平生
関門橋
(関門トンネル人道)
諏訪大島
田布施
山口宇部空港
北九州
牛島
周防灘
長島
上関
平郡島
0
10
20
30
40
50km
祝島
八島

I　ボーダーランズ やまぐちへの誘い

このブックレットでは、読者をこれまでサハリンや奄美(あまみ)、パラオなどに連れて行った。これらが「ボーダー」としての土地（ボーダーランズ）だから、という。たしかにそうかもしれない。

ところが今回は「やまぐち」を扱う（ちなみに音に即して記せば、「**や**まぐち」が正しい。「や」にアクセントがかかる）。「山口がボーダーなの？」と読者はいぶかるに違いない。ボーダーと聞くと、中心から離れた「辺境」とか、日本であれば、遥か彼方の海の上などを思い出すからである。とはいえ、あれこれと考えてみれば、確かにここ山口も、色々な観点から見て「ボーダーランズ」といえる。このブックレットでは、「ボーダー（境界）」をキーワードとして、山口を歩いたり、見たりしてみたいと思う。

最近、『山口のトリセツ』という優れた山口案内本が出版された。この本を開くと、カラー写真に地図と文章が組み合わせられ、一つの領域が見開き二頁で収まっている。しかも単なる観光案内でも地図帳でもない。それぞれの土地について、歴史や名産品、地名の由来などが短い文章のなかに過不足なく収まっている。この本を手に取ると、このブックレットでいったい何を話せばよいのか、正直迷ってしまう。しかも、筆者はもう二〇年以上、山口に住んでいるにもかかわらず、山口のエリアすべてを歩いたとはいいがたい。むしろ、行ったことのない土地の方が多いかもしれない。山口は案外広いのである。

思わず言い訳から入ってしまったが、このブックレットはあくまで「ボーダー」として「**や**まぐち」を観たらどう見えるかという問題意識から編まれていることを強調しておきたい。ちなみに、ここで山口という場合、さしあたり、現代の「山口県」が統括する行政区域を念頭に置いていることをご了解願いたい。

本州と九州の境目

まずは日本という国のなかの地理的なボーダーとしての山口を見ていこう。山口のボーダーにおいて、一番分かりやすいのが「本州と九州のボーダー」であろう。本ブックレットの各章やコラムにもこの点が繰り返し強調されている。とはいえ、筆者はいま山口市に住んでいることもあり、実はあまりぴんと来ない。ただこれは西に行けば行くほど明確になってくる。例えば、Ⅳ章でその歴史が詳しく描かれる下関(しものせき)である。実は下関は、明治期から現在に至るまで、県最大の都市である。中核市にも指定されている（のだが、現在そのときの人口三〇万人をはるかに割り込んでしまっている）。しかも歴史的を紐解けば、ここに県庁を移転させようという話さえあった。対照的に山口市は全国でも人口の著しく少ない県庁所在地として知られる。極端な言い方をすると、自治体運営に最低限必要な建物と、大学と、自衛隊があるだけである。

さらに下関は、本州の最西端である。下関に立てば、関門海峡(かんもんかいきょう)が眼前に展開し、向こうは北九州市門司(もじ)区だ。今でこそ関門トンネルが走り、関門橋がかかっているが、かつてそのようなものはなかった。本州と九州は海で隔てられた別の土地だったのである。今でも、下関から九州に行く列車は、アナウンスで必ず行き先を言う前に「九州方面」と付け加える。逆も然りで、九州から関門海峡を越える列車は「本州方面」と付け加えられるという。さらに電車への送電のしかたで「交流と直流」がある。九州が交流、本州は直流だから、関門海峡を越える際には、電気の流れ方の境界線を越えている。鉄道のサイトを見たら「デッドセクション」という言葉があった。なんとこの「交流と直流の境界線」には電気が流れていない場所があり、ここで引っかかって電車が止まらないように運転するのは難しいといわれる。ちなみに門司駅と関門トンネルの間にセクションはあるそうだ。門司駅で切り替えテストを行うようで、鉄道ファンには魅力的な場所だろう。

しかし、ことはそう単純でもない。例えば、テレビの天気予報では、「九州・山口」とひとくくりにされることが多く、山口県民からすれば「西端といえども本州の一員であり、九州とまとめて扱われることには我慢がならない」という声も聞かれる。筆者自身、これを面と向かっていわれたことがある。ただし、気象に関しては、山口県は「九州北部」の一部として扱われる。「中国地方が梅雨入りした」と気象庁が宣言したとき、山口県は入っていないのだ。ここでは山口が九州と本州をつなぐ「緩衝帯」の意味を持っている。

ついでに言えば、山口は横に長い。そのため、同じ山口と言っても、西が九州の影響力が強いのに対し、東は広島エリアに入る。県境の大竹駅までJR二駅、六分程度の岩国市は広島の通勤・通学圏である。ちなみに宮島口駅まではJR普通列車で二〇分と、広島駅から行くよりも近い。テレビの受信がこれを象徴している。かつて驚いたのは、NHKが「下関の皆さん、NHKテレビを見るときは、山口放送局の放送にチューニングして下さい」というお知らせを流していたことだ。気づかなければ、福岡放送局からの番組を見てしまうという意味である。ラジオもそうだろう（ただ今は、スマホの「らじるらじる」アプリを使えばどこのものでも聴けるが）。

筆者の住む山口市でも、福岡県のテレビ放送の電波が入る。だが山口の東側、周南市に行くと、テレビ放送は広島県のものにスイッチするそうだ。中国山地を越えた山陰側になると、島根県のものが入るのかどうかまでは筆者は知らないが、少なくとも島根の益田市では山口の放送が楽しめる。

島根との県境に近い須佐ホルンフェルス

山陰と山陽の境目

そう、地理的に重要なもう一つのボーダーが「山陰と山陽」である。今は中国五県、あるいは近畿圏まで広げて西日本とくくられることが多いが、広島と岡山は山陽側、島根と鳥取は山陰側に分かれる。中国山地を隔てて、南と北に明確に区切られている。ところが、山口と兵庫は、瀬戸内側と日本海側の両方に領域が広がる。実は兵庫県に日本海側があることを、筆者は高校生ぐらいまで自覚していなかった。ある日、地図帳の県境を眺めて、これを発見してひどく感心した記憶が残っている。

さて山口の場合、瀬戸内と日本海の両方に向けて広がるのが下関市の行政区域である。山陽側に国道二号線や一九〇号線を進むと、山陽小野田や宇部、山口、防府、周南、下松、柳井、岩国、といった、観光地としても知られた場所につながる。こちらは工業地域でもある。

下関から国道一九一号線を海岸沿いに北上すれば、今度は山陰側へと人を誘う。そこには、長門、萩、阿武（この名前、人名のときには「あんの」と読むこともある）という場所が展開する。こちらは歴史ある場所だ。産業として大きなものはないが、日本の文化遺産がたくさんある。自らを明治維新の揺籃として誇る萩は山陰だ。かつて観光案内で「萩・津和野」と一緒に呼ばれたりしたこともあるが、この二つのまちは大変離れている。筆者は萩から津和野へ行った経験を持つが、その遠さに驚いた。津和野は山口市から車で国道九号線を使って行く方が近い。あとよく誤解されるが、津和野は山口ではなく、島根県である（これは強調されるべきことだ。この県境についてはコラム「津和野からみたやまぐち」を参照）。広域併合によって確かに山口市の隣まちにはなったが、あくまで山口県ではない。間違えるとたぶん両方の県民から注意される。

山陰側と山陽側は、風景も異なる。かつて日本海側を「裏日本」という呼称で呼ぶことが長年続いていた（岩波新書にも『裏日本』があった）。産業基盤整備などが進まないこともネーミングの要因だろう。新幹線や主要な高速道路は確かに山陽側のみ走っている。だがこれは現代の話だ。江戸時代の政治の中心は萩であった。

「国境」やまぐち

地理的なボーダーを語る際に忘れてならないのは、「国境」である。江戸時代、朝鮮通信使はまず対馬に入り、その後、下関にも寄港した。近代になると、対岸の門司港も含め、アジア大陸に向かう起点となった。これもⅣ章に詳しいが、朝鮮半島の釜山へ行くための「関釜連絡船」も下関から出た。関門トンネルが通るまで、本州の鉄道の終点は下関だから、ユーラシア大陸から戻った人々は、下関から本州に上陸し、山陽ホテルで休息をとってから東京へ向かった。

対照的に、山口東部にある周防大島（民俗学者・宮本常一の出身地である。Ⅴ章参照）では、明治「元年」からハワイ移民が出発していた。周防大島は貧しい地域で、そのため海外への出稼ぎ（最

周防大島　星のビーチ

初は期限付きで行って帰ってくることが想定されていた）としてのハワイ移民は生きるための手段として必要なことと考えられた。最初の移民は三年の期限付きで、その後は残留しても帰国してもよいことになっていた。この時代の人々は、生きるために国境を越えたのである。詳しくは次章でもう少し語ろう。

多極分散

ところで山口県は「一極集中」ではない。すでに述べたように、県庁所在地の山口市は、現在でも人口は二〇万人に満たない。たいていの場合、県庁所在地に人も経済も文化も集中し、そこから各地にむけて「中心から辺境へ」という眺めが広がる。だが山口県のランドスケープは違う。山口市はあくまで「政治」のまちである。立派な建物の県庁と県議会がある。国立大学も（筆者の勤める県立大学も）このまちにある。だが、それ以上に集中してはいない。高等学校についていえば、山口市にある山口高校は戦前の県立中学でもあり名門校だ。とはいえ、県内の他地域にも進学校が存在し、山口市だけが教育の中心とは言い切れない。国立大学は山口市と宇部市にキャンパスをもつ山口大学が存在するが、公立大学となると、周南（周南公立大学）、山口（山口県立大学）、山陽小野田（山口東京理科大学）、下関（下関市立大学）の四つのまちに存在する。

県都がどの程度拡大に苦心してきたか、少し見てみたい。県庁所在地の人口拡大に向け、「平成の大合併」が国から推進されたとき、山口市も周辺自治体との合併を進めようとした。例えば、小郡（おごおり）町は簡単に併合されなかった。小郡町は、戦時中に一度、山口市に併合されたが、日本の敗戦後、再度分離した（戦時下の併合を解消した事例は全国的にも多い）。筆者は以前、山口線沿線に「山口市との合併押し付け反対」という看板があったのを記憶している。現在新幹線停車駅である「新山口駅」も、かつては「小郡駅」だった。「新山口」への改称には、ＪＲに新幹線「のぞみ」を停車させることを条件にした、といわれている。山口市役所本庁舎を現在の山口市内から小郡に移転させる可能性も提示しながらなんとか併合には成功した（その後山口市役所新庁舎は現在地に新築されることになり、「話が違う」と反発が出た。市は「可能性は検討したが移転するとは言っていない」と答えている）。防府市に至っては「単独市政」を掲げて山口との合併を激しく拒否した。一度は「市役所の防府移転」を条件にして話し合いに加わる可能性もあったようだが、最終的に合併協議会への出席を拒絶した。防府市は「工業都市」としての自覚が強く、山口市と防府市の人が地元自慢で争うと「山口に（工場の）煙突を立ててみよ」と言い放つのが防府側の殺し文句だと聞いたことがある。ただそれ以外になにかあるのではないかと思えるほどのこだわりが見え隠れする。大内時代の栄光を語る山口と周防国分寺や毛利（もうり）家を誇る防府

＊山口を中心とした大内文化は、室町時代に大内家の弘世がこの地で京の都を模倣したまちづくりを行い、義隆が大寧寺で自害するまで続いた時代に花開いた。これに対し、奈良時代に聖武天皇の勅願により建立された国分寺を擁し、明治維新後に長州藩主であった毛利家の本邸の地に選ばれた防府はライバル心が強いといわれる。

の対立＊だろうか。

　この遠心的なあり方というのはどうしてなのか、あまりよくわからない。明治時代の一九一一年にも「県庁の下関移転」という話が県政の大きな議論になったことがある、と『山口県史』（通史編・近代）にある。山口（しかも昭和になるまで市ですらなかった）に県庁を置いておくのは不便であり不格好だと同時代人も考えていたということであろう。時期は前後するが、萩出身の首相桂太郎（かつらたろう）は一九〇三年に大規模な道府県統廃合計画を立て、その中では「山口県を廃止する」ことすら含まれていたのである。山口県は解体されて広島と福岡に併合されることになっていた。筆者のかつてのゼミ卒業生に、「関門海峡一体化」の歴史的研究をした、たいへん優れた卒論があった。そこでは、下関は海峡対岸の小倉や門司と一体化されるべき地域として長い間意識されていた、とある。二一世紀になってからも北九州と下関を合体して、福岡・山口両県から独立させた特別行政区にしようという構想が出たことがある。「山口県」としての一体性は案外、現在進行形の「想像の共同体」なのかもしれない、とも考えたりしてしまう。

ボーダーを壊し、創る

　さて江戸時代には、現代と違うさまざまボーダーが存在していた。それゆえ、幕末期にいまの山口という空間に暮らしていた武士（若者）たちは、自らの周りのボーダーを破壊することから始めなければならなかった。まず藩というボーダーが人々を境界付けていた。藩を自由に出ていくことなど武士ができるはずもない。数々の「関所」が人の移動を管理していた。外に対しては、「鎖国」もあった。朝鮮とは通信使を通じた関係があるなど、「鎖国」は教科書的な言説に過ぎないという指摘もあるが、それでも日本が他国と非常に限られた貿易関係しか持たなかったことは否定できまい（もちろん海外の優れた知識や技術は入っていたとはいえ、である）。

　ここで武士たちが幕藩体制を打倒し、幕府によって統制されていたボーダーを開こうとした。元来、「攘夷（じょうい）」は、ボーダーの外から来る「えびす」（異民族、もしくは「異界の人」の含意）どもを日本に近づけず打ち払う、という話であった。だが、彼らはやがて藩外のみならず、日本の外へも出ていき、世界と対峙する道を選択していく。

　実際、幕末の維新の志士になる人たちは、封建時代の柵を力業で乗り越えていくところがあった。「長州（ちょうしゅう）ファイブ」などともいわれる、伊藤博文（いとうひろぶみ）や井上馨（いのうえかおる）など五名の若者はイギリスへ留学することで、世界の中心ともいえる大英帝国から日本を客観視できることになった。これがなければ、「倒幕・開国」という路線に転ずることはできなかっただろう。彼らの師ともなった吉田松陰（よしだしょういん）自身、中国古典思想を読み破る伝統性と、外国語を学び世界を知ろうとする先進性を兼ね備えていた。

　そして、幕藩体制を倒したこの地の出身者たちは、翻って、自らが新たなボーダーを設定し、かつそのボーダーを押し広げていった。端的に言えば、対外的なボーダー、つまり、近代日本の国境を設定する作業を行うとともに、人々の動きを制約していた内なるボーダーを撤廃した。後者が（国内の往来の自由化につながる）廃藩置県であり、封建的で自律性を持った藩を消滅させ、統一政府のもとで全国を動かすという建前が作られていく。古いボーダーを廃止し、新しいボーダーを作ったのが、長州藩もその一員だった明治政府の仕事の一つだと整理できよう。そして、かつて「防長二州」（「周防」と「長門」の二つの地域）などといわれた土地が「山口県」という名前に変えられた。

山口県人の相克――古いもの・新しいもの

「防長二州」から「山口県」を作り出した勢力は、中心となったグループが東進し「江戸」から「東京」と名前を変えたまちに国の中心を据えた。それまで「都」といえば京都だった。しかし京都から天皇をこのまちに移住させ、「王政復古の中心」をここだと示したわけである（日本の首都は東京であると明示した法律は今もない）。そしてここから、すさまじい勢いで全方面の改革を遂行していった。その過程では、かつての同志を切り捨てるようなこともあった。例えば、山口では奇兵隊＊の残りが反抗したのを力ずくでつぶしたのもそうであろう。不平士族の反乱も容赦なく打倒されていった。「廃藩置県」などの教科書で覚えている事項も、同時代からすれば壮絶な現実のリセットだった。西洋式軍隊を創設し、西洋式の政治制度を導入して「立憲君主制」なるものを打ち立てるというのは、それまでの世界を完全に変えることであった。歴史家・思想家である渡辺京二『逝きし世の面影』には、明治初期の変革の激烈さに驚いた外国人による「あなた方はこれまでの歴史を否定するのか」という問いに、日本人が「わが国の歴史はこれから創られるのだ」と答えた話が出てくる。勢いの激しさが見て取れる。山口出身者はこの時代、「新しいもの」と「古いもの」というボーダーを鮮烈に引いたのである。

「長州ファイブ」を展示する伊藤博文別邸

しかし、かつてともに維新を闘った土佐などから、違った動きが出てきた。彼らは「政党」を創り、「議会政治」を要求した。山口や鹿児島出身者中心の政府を「藩閥政府」、すなわち特定のグループによる政治の独占と非難した。革命の前衛が一転して権力にしがみつく保守派となじられる時代がやってきたのであった。この政治の激変に山口人がどう対応したかは次章でまた述べたい。

二〇世紀に入り、さらにここに「社会主義・共産主義」という大々的な思想・システムの攻勢がやってきた。この運動は「資本主義世界」と別の世界を創るボーダーを確定し、さらにこれを押し広

＊奇兵隊とは、長州藩と英米仏蘭が戦った一八六三年の下関戦争後に、高杉晋作らが組織した武士と庶民からなる混成部隊。百姓や町人、藩外の人々も加わり、身分制を越えた軍事組織として注目を浴びた。類似の武装組織は山口全域で造られ、現在は「長州諸隊」と総称される。

げようとしていた。そしてこの運動に加わり、リーダーとして大日本帝国と闘うことを決意した人々の中にも、やはり山口県人がいた。山口の人々は、歴史の中でボーダーを自らひき、ときにボーダーを乗り越え、あるいはボーダーをめぐるヘゲモニー争いを闘う中で、時代を駆け抜けていったのである。

ボーダーを乗り越える人々

　時代は移り、人も変わった。だが、ボーダーを乗り越える人々はいまも続々と登場している。幕末の志士たちの世界的な視野の獲得についてはすでに述べたが、自身の困難な状況を一気に世界に拡大することで逆転を図ろうとする動きをまとめておこう。代表的な事例の一つがユニクロである。柳井正率いるユニクロ（ファーストリテイリング）は、もともと宇部にあった紳士服店であった。ところが、ここからまず広島に衣料品店を開き、世界を歩いて「ファストファッション」のビジネスを独自に作っていく。自社ブランドを自社の工場で生産し、経営コスト削減のために海外の工場に発注する、という方法で価格を下げて勝負し、宇部の紳士服店は世界に飛躍する一大ファストファッション企業へ変貌した。もっとも、この生産手法で中国の工場を利用したことが、米中対立のあおりで困難に陥る。新疆産の綿を使っていたことなどが「人権問題」にひっかかった。

　もう一つの事例が、岩国市の「獺祭」（旭酒造）である。安倍晋三首相がオバマ大統領をもてなしたことでも知られるいまや日本の代表的な日本酒ブランドだ（付言すれば、安倍首相は長門に来たプーチン大統領には、地元・萩の銘酒「東洋美人」で接待した）。経済成長の中で日本酒の売れ行きが落ち、廃業寸前まで経営が落ちた酒造会社が銘酒「獺祭」を産み出すストーリーはサクセスそのものといえる。桜井博志社長の著書『逆境経営』によれば、それまで生産していたブランド「旭富士」が売れず、経営危機に陥ったことで高級酒を狙った。科学技術を駆使し、杜氏いらずで、二割三分も磨くという新奇な発想（つまり、コメの七割以上を捨てる）はヒットし、国内はおろか、国外への道を開いた。つまり、県内で売れなければ東京で、東京で売れねばパリで、といった大胆不敵な発想である。

　もっと野心的な試みもある。筆者の勤務する山口県立大学の卒業生も関わる超高級日本酒ブランドの創造である。全国的に高評価のブランド「金雀」をもつ岩国市錦町の堀江酒場は、日本酒は長期保存できないというタブーに挑戦した。そして「長期保存すると味わいが深まる」というワインのような日本酒「夢雀(Mujaku)」の開発に成功した。一本数十万円という驚くべき価格であるが、海外の富

金雀

夢雀（Mujaku）

裕層に好まれている。もっとも、残念ながら、筆者はまだ呑む機会に恵まれない。いずれにせよ、グローバル化という趨勢を使って、地方にあるというハンディを乗り越えた姿といえよう（夢雀については、松浦奈津子の『日経研月報』二〇二二年三月号論文を参照）。

これらの企業は、「都会と田舎」のボーダーを乗り越え、日本狭しと世界に乗り出した好例であろう。競合他社との市場での潰しあいを避け、直接、世界の荒波に飛び込んでいって成功をつかんだ。

ということで、読者のみなさんにも、多少は山口をボーダーという切り口で語る意味が伝わっただろうか。ここにも数々の多様なボーダーがあり、それが壊され、作り変えられるとともに、たくさんの人々がこのボーダーを乗り越えていった。これはボーダースタディーズの基本的な考え方だが、具体的に山口の場を素材としてこれを再現するのが、本ブックレットのテーマとなる。山口はある意味で、ゲートウェイでもある。人々が山口に入り、また山口を抜けて諸方へ散っていく。山口で何かをつかみ、そして再び外へと向かう。社会人大学院生経験のある、とある経営者の言葉を引こう。「山口は本州の場末ではありません」「九州と本州をつなぐ場所です」。筆者はこれに世界を付け加えたい。ボーダーランズ**や**まぐちは決して辺境ではない。まさに文字通り、「関門」なのだ。

これからの各章では、多彩な執筆者によって多彩な方面から山口が語られていく。読者の皆さんには、それぞれの角度から切り取られた山口についての語りを楽しんでいただければ望外の喜びである。

（井竿 富雄）

■参考文献（より深く知りたい人のために）
・昭文社編集部『山口のトリセツ』昭文社、二〇二二年
・『山口県史』山口県編集・刊行（全四〇巻）
・渡辺京二『逝きし世の面影』平凡社ライブラリー、二〇〇五年
・柳井正『一勝九敗』新潮社、二〇〇三年
・桜井博志『逆境経営』ダイヤモンド社、二〇一四年
・松浦奈津子「ヴィンテージ日本酒『夢雀』のサステナブルなデザイン開発とライフスタイルの創造――過疎の町から伝統文化を世界に発信」『日経研月報』二〇二二年三月号

山口のういろうはわらび粉で作られている

獺祭と東洋美人

山口県の地域・国際交流

このブックレットでも大きく取り上げられる、本州（山口県）と九州（福岡県）を隔てる関門海峡。この関門海峡の真ん中に、歩いて越えられる山口県と福岡県の境界がある。関門国道トンネルの人道がそれだ。ここは片道八百メートル足らずのトンネルの往復散歩を日課にしている人や、人道踏破の記念証を求めて訪れる観光客などに出会えるボーダーである。関門鉄道トンネル、関門自動車道、関門連絡船などで県境を越えると早いが、海の底を歩いての県跨ぎはスローな観光として人気が高まった。全国に五つある人道トンネルの中で、県境を越えるのはここだけ。県境を挟んだ下関市と北九州市は都市圏・経済圏を一つにしている。

関門トンネル人道（提供　下関コンベンション協会）

新幹線で新山口駅に降り立ち、山口線に乗り換える。県庁所在地山口市を通り過ぎると中国山地に入り、島根県境の津和野町を経て、日本海沿いの益田市に至る。D51型とC57型機関車が牽引する山口号が走る区間には、いわゆる「撮り鉄」が集まる。煙を上げて走るSLに向けて歓声を上げる人々を横目に国道九号線を車で走り、道の駅願成就温泉を過ぎると、あっけなく県を跨ぐ。山口県・島根県・広島県の三つの県境は中国山地の中にあり、瀬戸内海方面に至る。広島県と県境を接する岩国市や和木町をはじめ、山口県東部にある市町は広島県の広域経済圏に入っており、物流・人流ともに盛んである。

岩国市の中心に「国境」がある。瀬戸内海に向かって広がる大きな三角州の中に位置する米海兵隊岩国航空基地である（写真四〇頁）。神奈川県厚木基地や沖縄県の基地を越え、今や東アジア最大規模といわれる。フェンスの向こう側はアメリカ合衆国。年に一度開催されるフレンドシップデーで入場（入国）するには、パスポートか外国人登録証の提示が求められている。基地の一部は海上自衛隊が使用しており、今から一〇年ほど前には岩国錦帯橋空港が軍民共用空港として開港した。離発着時には撮影禁止の時間があり、会議室を借りて研修を行う場合も窓のシャッターを閉め、飛行機の撮影は禁止であった。基地には米軍関係者と家族約一万人、航空自衛隊関係者約一六〇〇人がおり、その他、日本政府が雇用し米軍基地側が使用者となる日本人等（在日米軍従業員）が出入りしている。米軍関係者や家族の中には基地外で暮らしたり、日本の幼稚園や小学校に子どもを通わせることを選択する人も多い。アメリカ側で奨励している国際交流行事やボランティア活動への参加、買い物や休日のレジャーでの出入りは日常的にある。日本側からも仕事で基地内に通うだけでなく、基地内大学への留学もできる。

「英語交流のまちIwakuni創生プロジェクト」検討委員会の委員長を二年間務め、基本方針をまとめた。その目的の一つは英語交流の拠点となるセンター創設であり、現在、岩国駅のすぐそばに「PLAT ABC」が開設されている。その後、山口県の東部地域グローカル人材育成事業である「East Yamaguchiみらいラボ」に参画し、明治期に山口県から多くの移民を出したハワイ州とつながる研修に約二百名の中高生や大学生が参加する企画に携わっている。海外の県人会では高齢化が進み、山口県との絆が歴史の中に埋もれる日がくるかもしれない。日本から若い世代が行けば、現地の若者との新たな交流が生まれるのではないかという期待がある。日系移民という古い絆に頼るだけでなく、新しく共感できる協働の体験が必要だ。そこで試されるのは、自分が自分の周りに引いている境界線を越える勇気である。

山口EU協会、山口日米協会をはじめ、日英、日独、日仏、日韓、日中、ペルー、カナダ、フィンランド、ネパール、ラオス、タイ、ベトナムなど、山口県にも姉妹都市交流や民際交流、国際協力を目的とする団体が数多くある。これらのリーダーが世代交代の課題を抱えている。次を託せる人が見つからない。コロナ禍で実際の行き来が途絶え、講演会やスピーチコンテストなどの行事継続にも困難をきたす時期が続いた。そのような中、足元の地域での多文化共生への対応や外国人住民への日本語教室のニーズは拡大している。これまでやってきたことを、これまで通りの方法で引き継ぐことを期待する世代と、そこに魅力を感じない若い次世代間の溝が埋まらない。初代のリーダーたちは六〇代から八〇代に差し掛かっている。SNS、動画、ネット上のゲーム、スマートフォンの翻訳機能、クラウドファンディングなどを使って日常的に国内外と情報交換をしている若者世代は、これまでの地域交流や国際交流の形を維持するといったよりは、別の形を創り出していきたいのだろう。年代だけでなく、性別、出身地、所属、UIJターン者の移住によるウチ・ソト、文化や国、自然や人工物、人間と人工知能、地球空間と宇宙空間などの壁を越えて、これからの世代はこれまで想像もできなかった未来をつくっていくのだと思う。

時代により境界線は変わる。いろいろな壁があることを想像して怖がっているだけでなく、実際に自分の目で見てみることが大切だ。海上に沈む太陽は、その向こうの地を照らし続け、やがて反対側からまた登ってきてくれる。

（岩野　雅子）

津和野と新山口を結ぶSLが大人気！
（提供　山口県観光連盟）

ファッションを通した山口とフィンランドの交流

筆者は二〇〇〇年に初めてフィンランドを訪問した。「雪舟とその弟子たち」展でミュージアムグッズとしてＴシャツを販売するためだ。山口県立美術館とヘルシンキ市立美術館が姉妹館提携を結び、その最初のプロジェクトがヘルシンキ側で行われることになった。山口県立大学大学院が創設されるタイミングで、産官学連携事業「やまぐち文化発信ショップ NARU NAXEVA」が、一九九九年から開始され、その活動の中でＴシャツプロジェクトを立ち上げた。ヘルシンキ訪問時に知人がヘルシンキ芸術デザイン大学（以下でＵＩＡＨと記す、現アールト大学）を案内した。教育環境や活動内容が非常にユニークだと知り、興味を持った。

大内時代に造られた常栄寺「雪舟庭」

その頃、日本ではファッションとフィンランドはあまり馴染みがなかった。しかし、現地を訪問してみるとファッションデザインやテキスタイルデザインのレベルが高く、サステナブルな視点や工業製品としてのファッション教育がユニークだと理解した。

その結果、筆者は二〇〇二年に半年、東京財団の支援を受けて、教員として前述の大学に滞在した。そのときに、マリメッコの本社を何度か訪問し、帰国後、ファッションショーを山口で開催するので生地提供をしてほしいと依頼したところ、快諾された。帰国後、学生にマリメッコの生地を用いた「ポケッツプロジェクト（ポケットという機能を必ずデザインに取りこむテーマ）」を提案し、お気に入りの生地を選ばせてデザイン画と生地番号をマリメッコ本社に送ると、早速、生地が届いた。

現在まで続くクリスマスファッションショーの第一回目でプロジェクトの作品が発表された。その学生の中に大田舞（おおたまい）がいた。彼女は筆者が客員教授として滞在した縁から、卒業後にＵＩＡＨの大学院に留学した。そして修了後、数年を経てマリメッコの社員のデザイナーとして活躍し、後にMAIOHTA DESIGNを立ち上げ、独立した。そして現在まで一〇年以上マリメッコにデザインを提供し続けている。

偶然というか必然というかこんな素敵なことがあっていいのかと思える出来事である。実は筆者がＵＩＡＨのユルヨ・ソタマ学長のつてを経て、ピイッパ・ラッパライネン教授に挨拶に行ったときに紹介されたノーラ・ニイニコスキは、後にマリメッコのデザイン・ディレクターになった。彼女を二〇〇一年に山口県立大学に招待し、プレゼンテーションをしてもらった。ここに大田舞も参加していた。

ノーラは大学院生ではあったが、ロンドンのセントラル・セントマーチンズへの留学やヴェネツィアのベネトンでのワーキング研修など豊かな経験を持っていた。

ノーラのデザインはロシア・アヴァンギャルドなどに影響を受けていた。ロシアとの関係は第二次世界大戦期のカレリア地方の侵略など、複雑なものがあるが、芸術文化では少なからず影響が感じられる。マリメッコの創始者アルミ・ラティアはカレリア地方の出身でありロシアとのボーダーの文化の影響が、テキスタイルやガラス製品の開発に感じられる。

さて、筆者は二〇〇七年にラッピ州ロヴァニエミ市にあるラップランド大学（以下ＵＯＬと記す）のマルヤッタ・ヘイッキラ・ラスタス教授が指導するファッションショーに学生を参加させた。その縁から、二〇〇九年より両大学の共同研究が始まり、コロナ禍になるまで毎年、学生を連れてワークショップをするために訪問した。また山口県立大学にＵＯＬの学生を何度か招いたこともあった。「サステナブル」がキーコンセプトにあり、両地域の資源を合わせて、そのときどきのテーマで作品を制作した。主にＵＯＬからはトナカイの皮革、フェルトを、山口県立大学からは伝統工芸、徳地の手漉き和紙や柳井縞さらにデニムを提供した。徳地の手漉き和紙をテーマに山口県立美術館で展覧会も催した。

山口×デザインウィーク 2021 に招いた
ラップランド大学教授たちの服飾と写真作品

山口県立大学でプロダクトデザインを専門とする井生文隆教授（現名誉教授）及び筆者の以上のようなデザイン交流が長年継続され、二〇一七年に山口市がロヴァニエミ市と観光交流パートナーシップ協定を締結するに至った。五年目の二〇二一年一二月に山口市主催の「やまぐち×ロヴァニエミ デザインウィーク二〇二一」が開催された。そのときにメインオブジェやヴィジュアルのデザイナーとして大田舞を招聘した。コロナ禍でもあり、羽田空港での二週間の「自主隔離」のあと、大田は山口に到着し、総合プロデューサーであった筆者の仕事を助けてくれ、無事に開幕となった。

展示のメインエリアでは、大田といまやナンソーのヘッド・デザイナーとなったノーラ、ＵＯＬのマルヤッタ名誉教授、アナ・ヌウッティネン教授、ヘイディ・ピエタリネン教授の作品が展示された。山口側からは、筆者の研究室の修了生と現役学生の作品が世界的に活躍をしているアコーディオニストcobaの生演奏の中で発表された。これが筆者の教育と研究の締めくくりとなった。

山口のファッションはこうしてフィンランド・デザインと交流し続け、サステナブルデザインの精神が醸成されて来ているのだ。

（水谷 由美子）

Ⅱ　歴史・文化・人物

　このテーマで「山口」を書くのは勇気がいる。優れた本も研究も多く、あとからあとから文献や動画が登場してくる。そう言いつつ、筆者もまた教育の目的で「山口の人と文化と歴史」のようなものをいたずらに書き続けてきた。教育のためなどと居直りながら、地元の人ならばもっとよく、ひょっとすると近所の人が自分の先祖として知っているようなことをとくとくと書いてみたりしてきた。大学にも「山口の歴史と文化」という科目があったりする（幸いにも筆者は担当していない）。

　正直、何を書いてよいのか迷う。すこし視角を変えて、筆者の関わりから振り返ってみよう。筆者が最初に研究らしきものに足を踏み入れたのが、山口出身の首相の一人、寺内正毅のときに発動された「シベリア出兵」であった（研究者によっては「シベリア戦争」と呼ぶ）。「出兵」をテーマにした長編マンガ『乾と巽』（安彦良和作）が、現在（二〇二二年一一月）も進行中で、そのダイナミックな展開と緻密な事前の研究は、筆者の過去の仕事など吹き飛ばしてしまいそうだ。

山口出身者の多さ

ところで、このマンガには、本当によく山口県出身者が出てくる。巻頭から大井成元（小倉にあった第十二師団長、のち派遣軍第二代司令官）だ。この人物は寺内正毅と同じく、筆者が住む山口市宮野近くの出身である。その大井が、進撃で先を越されたくないとするライバルが第七師団（旭川）の師団長は藤井幸槌なのだが、彼もまた山口県出身である。「出兵」を発動する首相、その内閣には（マンガには出なかったが）農商務大臣仲小路廉（ついでにいうと、その次官も山口県防府出身の上山満之進）、軍隊を指揮した陸軍参謀次長田中義一（次の原敬内閣で陸軍大臣）、そして師団長レベルにも山口県人がいる。

　そして、田中義一が戦況を報告している相手こそ、「長州閥の総帥」山縣有朋であった。山縣有朋は、原敬のような「賊軍」とみなされた土地（岩手県）の出身者からすると、とにかく打倒したい相手に違いない。しかしながら、山口県、特に山縣の故郷である萩においては、巨大な騎馬像（長崎の平和祈念像を制作した北村西望の作品）が鎮座する。郷土の英雄である。東京大学名誉教授伊藤隆が編纂した論文集『山県有朋と近代日本』や、京都大学名誉教授伊藤之雄の著書『山県有朋』は、日本近代史の物語で悪役として登場してくる山縣有朋のイメージ回復のために存在している、とさえ思える。

山縣有朋像

　そういうわけで、日

本の近代史を扱えば、良くも悪くもぞろぞろと山口県出身者が現れる。しかも、彼らが活躍したのは幕末・維新期から第二次世界大戦後に至る激動の時代である。総理大臣や将軍・元帥・将校、大物政治家もまたいる。山縣や寺内、桂太郎や田中義一のように、軍人と政治家の両方で高位顕官を極めたものも少なくない。大正時代ぐらいまでは、「長州人が政界と軍の高級幹部を壟断している」とみな怒りたくなる雰囲気も理解できる（とはいえ、彼らはもちろん「一枚岩」ではない）。熊本生まれの筆者もまた「ヨソモノ」であり、山口県人だけが近代史を作ったように見えるのは多少の違和感があるのも事実である。それではここから、やまぐちからさまざまなボーダーを越えていった人々について一緒に見ていくことにしたい。「さまざまな」と言ったのには理由がある。読んでいくうちにわかってもらえたら、と考えている。

台湾へ向かう

Ⅰ章の冒頭でも触れたが、この本は「ボーダー」をキーワードとして編まれている。「ボーダー」が何か、筆者はあまり深く考えたことがなかった。とりあえず、それは「何がしかの境界」である、と考えてみたい。地理的なボーダー以外にも、考え方の違いや利害の範囲などを指す場合もあると広く解釈しておく。筆者はⅠ章において、それまでの世界や自身との認識を疑い、これを越えていく場所としての山口を仮定してみた。この章は、この過程を膨らませながら、書いてみたい。

実は筆者はここしばらく、「台湾と山口」という二つの場所を結ぶいろいろなことに関わってきた。栖来ひかりの『台湾と山口をつなぐ旅』を読んでいただければと思うのだが、一言でいえば、台湾の近代史には山口県人が登場することがあり、これが案外目立たないところで今も息づいている、ということなのである。

ここで関連するのは、「外国人への日本語教育」が始まった台湾に山口県出身者二人が関わったことである。台北市士林の「芝山巌」は、日本が日清戦争後に台湾を領有した際、早くから日本語教育施設が置かれた場所だ。そこに萩出身の楫取道明と岩国出身の井原順之助という二人がいた。特に楫取は父、素彦が地方官として、さらに母が吉田松陰の妹であることにより、有名だ。そして、二人は、武装集団の襲撃により殺害される。やがて彼らを含めた六人が同時代の日本人によって「六氏先生」と讃えられ、石碑まで作られた。この石碑にある「学務官僚遭難之碑」という字は伊藤博文のものである。

その後、士林は、日本の台湾統治時代、聖地と化していくが、第二次世界大戦後、国民党政権によって、中国共産党を徹底的に弾圧して名を馳せた戴笠という人物を讃える場所へと転用されていく。ちなみに、今でもこの人物の記念館があり、六氏先生像と、伊藤博文が筆を執った石碑が「共存」し、

伊藤博文の筆蹟を掲げた芝山巌の石碑

歴史認識のボーダーが同じ場所で露出している（芝山巌については、板垣竜太ほか『東アジアの記憶の場』を参照）。台湾領有初期には、山口県出身総督が何人か出るが、このような地域末端においても活躍していた。

台湾は「植民地（「殖民地」）」とされた以上、日本人が移民してそこで暮らす必要もあった。萩出身の賀田金三郎は後に台湾で物流を扱う企業を興すが、日本人の入植を進めるべく台湾東部に開拓村を創設しようとしており、現地武装勢力との戦闘を強いられていた日本軍のロジスティックスを担当した。もっとも彼は、台湾原住民族の攻撃を受けて、開拓村の建設を断念し、やがて日本が新しく領有する朝鮮に目を転じていく。その後、日本の支配を受け入れない台湾原住民族に対する苛烈な軍事作戦を伴う「理蕃政策」を遂行した台湾総督は、萩出身の佐久間左馬太であった。佐久間は台湾の日本統治時代、神として祀られることになる。

移民――生きるために世界へ

日本の領域を超えて「フロンティア」（まさに辺境）へと旅立った無名の人々も少なくない。その代表例が、明治元年からのハワイ移民だろう。当時、ハワイはまだアメリカ合衆国の領土ではなく、独立王国であった。後に日米関係の争点となる「日本人移民」を構成していく、ごく初期の人たちのなかに、山口県、具体的には周防大島の住民がいた。前章で触れたように、大島からの移民は、生きるためにボーダーを越えてハワイの地へ向かった。最初はかなり厳しい選抜が行われていた。農民以外の者、持病のある者は応募を許されなかった。もともとは期限付きの出稼ぎであったのだが、現地に定住し、さらにもう一度海を越えてアメリカ合衆国に渡るものも出てくるようになった（土井彌太郎『山口県大島郡ハワイ移民史』）。

もちろん、移民は山口だけのものではない。ハワイの場合、松方デフレによる景気悪化が地方に打撃を与え、この対処策としてハワイ移民が国によって仕掛けられた側面がある。第一回の「官約移民」（一八八五年）の上位を占めたのは、広島・山口・熊本の三県であった（木村健二『近代日本の移民と国家・地域社会』）。ボーダーを越えて新天地を求めた人々は、ハワイのみならず、近くは朝鮮半島、中国各地、そしてロシアへと広がっていた。このような人々は、近代日本がボーダーを押し広げるなかで、その動きに翻弄されていった。ハワイやアメリカに移住して代を重ね「日系人」と呼ばれるようになった人々は、日米関係のなかで運命が流転した。ロシアに移住した日本人は、日露戦争で一度敵性外国人として国を追われ、のちにロシア革命とシベリア出兵でもその財産や生命を失った。中国や朝鮮に渡った人々が第二次世界大戦後に被った運命はここに記すまでもない。

このような動きは第二次世界大戦後も続いていた。山口からは、ブラジルやドミニカなどへ移民する人々がいた。戦後すぐの日本はまだ貧しかったのである。一九五八年、当時の山口県知事小澤太郎（萩が本籍、台湾で生まれ育ち、東京帝大卒業後台湾総督府に勤務した経験がある）は二ヶ月あまりにおよぶ大規模な外遊をした。行った先はハイチ・ドミニカ・ブラジルなど、中南米各国である。今日でも県知事が二ヶ月も席をあけるのは困難である。だがその理由は切実だった。移住した山口県人の現状を確認し、さらに今後もなお移住できるかどうかを現地で考えるためであった。この年に山口県は「海外移住振興特別基金条例」を制定し、県としてさらに中南米への移民を推進するつもりだったのである。

人と神とのボーダーを越える

ボーダーを越えていく人、ということで、移民や植民などについて書いてきた。しかし、なかにはその人自身が新しい世界を創ってしまう、という場合がある。当初ここには、長府で農夫をしながら人々から注目された人物、桂弥一（下関市立長府博物館の前身を創った人）のことを記そうと考えていた。しかし、いま一つうまくいかない。まだ筆者にはわかっていない部分があるのかもしれない。

あれこれ考えているうちに、山口県には人と神とのボーダーを越えてしまった人がいたことに気がついた。この章ではここだけやや突出してしまうかもしれないが、現代政治の人々ともかかわったことのある不思議な世界を現出してしまった人について、語っておく必要があるだろう。「踊る宗教」として知られた天照皇大神宮教の創設者、北村サヨである。この人物、人生もまた壮絶なものであるが、その行動もまたあちこちのボーダーを越える、というよりは蹴破るようにして進んでいくところがあった。

北村サヨについてはさまざまな人がその生涯について書いている。それらと、教団自身の出した聖典『生書』（二巻までは見ることができた。四巻まであるようだが筆者は三巻以降未見。非売品で、古書店などにもめったに出ないといわれる）を見ると、その人生はかなり波乱に満ちていた。一九〇〇年に現在の柳井市で生まれ、学歴は尋常小学校だけだった。父に「女子は教育を受けると虚栄心が強くなる」という信念があったからである。その後、北村清之進という人物と結婚して現在の田布施町へ移り住んだ。この結婚生活は現代の価値観からすれば虐待に近いものであった。姑は食事も睡眠もとらせず重労働を強いた（この姑のもとで北村清之進は五回も離婚していた）。しかしサヨは「結婚した以上は離婚しない」と決意し、姑を生涯の最後まで世話した。この当時の北村サヨは、謙虚で行動力のある主婦として地域社会でも強い信頼があったとされる。

異変が起きたのはその後である。一九四四年、サヨの「肚」に何かが居座り、突然物を言い、命令を始めたのである。この「肚」が神の言葉を伝えはじめて以後、サヨは人格が激変した。乱暴な口調でものを言うようになり、戦時下にもかかわらず天皇や軍部を公然と非難した。また、米軍機による日本空襲を「蛆の掃除」と呼ぶなど、時に人の反感を買うような言動をもするようになった。人々を「蛆の乞食（現在では問題のある用語だが原文のまま）」と罵り、人間の利己心を批判するような演説をぶつかと思えば、歌で教義を説き、「無我の舞」という踊りを集団で踊るような行動にも出た。これが「踊る宗教」といわれた所以である（同時代、「璽光尊」というこれまた「踊る宗教」があった。筆者は長い間二つを混同していた）。サヨは初対面の人に対して、その人の悪行や隠し事を大勢の面前で公然と暴露し罵倒した（これを「業晒し」というらしい）。この宗教集団は一九四六年を元年とする独自の「紀元」を制定し、時間軸まで自らのものにしようとした。彼らは既存の宗教を批判し、自らの教団では専従の宗教家、要するに聖職者を出さなかった。教祖北村サヨ自身も、「大神様」と呼ばれるようになってからも一農婦として農作業をやめなかった。また、「信者」と呼ぶことを禁じ「同志」と呼ばせていた。恋愛結婚を否認し、互いにまったく何の感情も持たない男女を、神の前で「結魂」（けっこん）させる、死後、墓を造らないなどの行動も目を引く。

　北村サヨやその信奉者たちはこのようなラジカルな言動で地域社会などから排斥された。一九四六年には、政府から何度命じられても「蛆に食べさせる米はない」と食糧供出を拒絶して逮捕されるなどの事件をも引き起こしたのだが、主張や言動に共鳴して信者になるものも増えた（なんとサヨを起訴した検察官も信者になった）。サヨは戦後政治にも足跡を残した。岸信介が戦犯容疑で逮捕されたとき、「三年ほど行ってこい。魂磨いたら、総理大臣にして、生かして使ってやる」と激励した。岸が首相になったときは本人に面会し、「偉い者になるな。国の役に立つものになれ」と述べた、と彼らの聖典『生書』第二巻（「紀元二二年」＝一九六七年刊行）は伝える。

天照皇大神宮教「無我の舞」

　この教団は、日本の外への布教も早い段階で起こしている。最初の海外布教は独立回復前後である一九五二年のことで、ハワイの日系人などに布教をした（サヨの夫北村清之進自身、ハワイ移民として働いた経験がある）。その後、北米やヨーロッパなど世界各地に長期間の布教を行っている。この布教も型破りで、人に迷惑をかけないため、とサヨは食糧や台所用品まで抱え、外国語を一切使わず山口弁で布教をした。人と神とのボーダーを往来していた北村サヨは、地上の国境を越えて人々に「神行」（彼らは「信仰」と呼ばずこう表現する）への道を進むように勧めたのである。反面、この教団は今日もなおウェブサイトも開設せずメールアドレスも持たないとされている。ネット世界には厳しく鍵をかけているようである（確かに検索しても出てこない）。彼ら独自の世界とわれわれの世界とのボーダーには、今なお高い壁がある。

権力への意思と情念

　神の世界からもう一度人間の世界へ戻ろう。近代日本政治史において、山口県は「権力側」「勝ち組」として論じられることが多い。実際に、明治維新では権力を掌握した主体であり、「長の陸軍・薩の海軍」と称されるほど、陸軍には山口県出身者が多く、有力な政治家も続々と輩出した。そうなれば、良くも悪くも目立っていく。

敵が多いということは、力を持っているということだからである。

ただことはそう単純でもない。「権力側」とされながらも、「長州閥」そのものはまったく一枚岩ではなかった。一致団結からほど遠いというのが実情であろう。政治的方向性もかなり異なる。伊藤博文と山縣有朋といえば誰でも知っている。そして二人は幕末以来共に近代国家建設に尽力した。伊藤は憲法や内閣制度を創り、山縣は陸軍や地方自治制度を造った。しかし、伊藤博文が政党政治の優勢を見越して立憲政友会を作る一方で、山縣有朋は政党と距離を置き続けた。山縣と近い萩出身の軍人桂太郎は、逆に山縣とたもとを分かち、政党を結成する。しかし、桂の結党した立憲同志会は、政友会に対抗する反対党として存在し続ける。山口県人、元をたどれば同じような場所にいた者が与野党で向き合っていた。

山縣という人物自身も興味深い人物である。彼は山口県出身者を特に優遇したつもりはなかったようである。その秘書的存在であった入江貫一（いりえかんいち）の回顧録『山縣公のおもかげ』（一九二二年、筆者が見たのは一九三〇年の増補再版）によれば、山縣はその人物が有能でなければ用いない、と考えていたという。この本には、防府出身の官僚で、後に台湾総督を務めた上山満之進の回顧が掲載されていた。上山は「長州人の先輩後進の関係は頗る（すこぶる）淡泊である」と書いた。その例として挙げたのは、山縣有朋の国葬の際、「私と同年輩或は年若の同郷人で顔を出したものは不思議な程僅少であった」という事実であった。もちろん理由として、あまりにも年長者の地位が高くて近づけないから、などと述べてはいるが、「かかる現象を見て、即ち郷党の後進者の来弔があまりにも少ない事実を見て、何となく他県の人々に対して済まぬやうな思もしたのである」と皮肉な感想が続く。要するに山口県出身者（で、山縣に取り立てられた人）が山縣の葬儀に来なかったのである。

岸信介定礎

「淡泊」、今ならば「ドライ」な人間観は後の世代も持っていた。のちに首相となった岸信介は、「兄弟は他人の始まり」という言葉について感想を聞かれ、こう答えている。「血縁的に云ったって兄弟は他人の始まりだ、その子はいとこ、はとこになってしまって他人になってしまうのだから、それは他人のはじまりには違いありません」（『岸信介の回想』）。選挙のたびに弟の佐藤栄作（さとうえいさく）と骨肉の争いを経ていたことがそう言わせたこともあるだろう。ちなみに佐藤栄作は同じ質問に「ぼくらの場合は、いわゆる兄弟は他人の始まりという悪いような表現は当らない」と一応、否定している。

教育——世界へ向かう新時代のツール

人を出身地や身分ではなく持っている能力で評価する、という新時代の価値観は、それまでの封建主義とは異なるものだった。そして、山口の人々はこの新しい「能力養成」の機会に積極的に乗った。よく「長州閥」というけれども、その内実は官僚と軍人、貴族院議員であることが知られている（歴史学者高橋秀直の説。「長州閥」といわれていたものは、官僚・軍人・貴族院議員という、国民に選ばれることを前提とする政党とは対立的な立場にある人をゆるくつなぐ「山縣閥」ともいうべきものである、という）。明治以後の近代教育を受け、軍人をめざすものは士官学校へ、官吏になりたいものは帝国大学へと進学し、そこを出て同僚との競争の中で能力を認められたもの、つまりは今でいう「勝ち組」の集団であった。これは後代への教育に対する人々の投資意欲へとつながる。山口県では政治家が図書館を設置した例がいくつかある。現在の萩市明木には、政治家滝口明城（吉良）が村立図書館を設置した。寺内正毅は中国や朝鮮に関心をもつ者のために、「櫻圃寺内文庫」を創った（蔵書は現在、山口県立大学にある。ただし、美術品などは韓国の姉妹校慶南大学校に「里帰り」させた）。また、軍人・政治家としても有名な児玉源太郎も、故郷徳山に「児玉文庫」を開いた（残念ながら空襲で失われた）。先に名前をあげた官僚・政治家上山満之進は自身の遺産を故郷防府に寄贈して「三哲文庫」という名前の図書館を造った（現在の防府市立三哲文庫）。ここに上げた人名のうち三人は植民地総督の経験があるのも興味深い（寺内は初代朝鮮総督、児玉と上山は台湾総督）。また、防長教育会という地元の団体は、旧制高等学校を開いていたこともある。これは一度閉校され、官立学校として新たに設置されたのは、「山口高等商業学校」であり、その後もう一度高等商業学校とは別に、官立の「山口高等学校」が開校した。それぞれ現在の山口大学の前身をなす重要な学校である。そのなかでも「山口高等商業学校」は、その人材育成目標が明快だった。「満鮮経営」である。日本が早くから注目し帝国主義的進出の目標としていた中国東北部や朝鮮半島で活躍できる人材の育成をめざす、としていたのである。それは、地理的な近さということもあっただろう。なにより、この地域で北九州の門司と下関とを合わせて呼ぶ「関門」は「ゲート」の意味を持つ言葉でもある。むろん、「大陸への関門」である。

共産主義者たち

権力側のエリートたちを多く生み出した山口から、対極的な人々が多数出たのも興味深い。共産主義運動の担い手たちである。彼らもある意味、エリートなのだが、同じエリートでも思想のボーダーがくっきりと引かれた人々である。このあたりはやはり研究も厚く、思わぬ誤りもありうるから慎重に進めたい。

山口出身の共産主義者といえば、宮本顕治や野坂参三、志賀義雄などという錚々たる人物がまず思い浮かぶ。『貧乏物語』で知られたマルクス主義経済学者の河上肇も岩国出身である。宮本顕治はよく知られた共産党議長（かつては委員長や書記長という肩書だったこともある）であり、松山高等学校から東京帝大経済学部を出て文芸評論で活動した。共産党に入党し、第二次世界大戦中は北海道の獄中を耐え抜き、戦後も波乱を乗り越えて共産党のトップとしてその地位にあった。宮本が地理的なボーダーを越えなかったとすれば、国境を軽々と越えて活動したのが野坂参三だろう。

萩出身で、幼いときに自身の生家が没落する瞬間を目の当たりにした経験を持つ少年は、長じて慶應義塾大学で社会政策などを学び、労働運動などから共産主義運動に入った。そして中国やロシアを往来しながら、当時の国際共産主義運動のまっただなかを泳ぎぬいて戦後日本に戻ってきた。「愛される共産党」という言葉を発して戦後日本政治に鮮やかな登場をとげ、党幹部として一〇〇歳まで生きたが、まさかその一〇〇歳を迎えて、ソ連の崩壊以後発見された文書を理由に自らが党を除名されるとは思わなかっただろう。当時のソ連にいた亡命日本人共産主義者山本懸蔵をスパイとしてスターリンに密告し死に追いやったことが理由とされた（和田春樹はこれに異議を唱え、山本をかばおうとしていたのではないかとしている）。高齢ということもあっただろうが、野坂は一切の弁明をせず死去した。

志賀義雄が生まれたのは現在の北九州市門司区だが、後に母方の故郷である萩へ移り、ここで育った（父は周防大島出身）。萩中学（現在の山口県立萩高校、野坂の母校でもある）から第一高等学校、東京帝大文学部へと進む秀才コースを通った志賀は、共産主義運動に飛び込んでいき、沖縄出身の共産主義運動家徳田球一とともに著した『獄中十八年』にあるような長期の投獄経験をすることになった。戦後はレッドパージを生き抜き、国会議員にもなったのだが、部分的核実験禁止条約に対する反対を決めた党議拘束に反して賛成を表し、結果として共産党を除名された。党除名後は「ソ連派」といわれた「日本共産党（日本のこえ）」を結党し、共産主義運動からの転向はしなかった。ひとたびはここに加わりながら、後にここからもたもとを分かった神山茂夫という人物もまた下関出身である。『天皇制に関する理論的諸問題』という著作で知られる神山は、やはり戦前からの共産主義運動家であった。生まれは下関であるが、一時は実家の都合で台湾に渡り、現地で働いていた。後に家出して共産主義運動に身を投じた。第二次世界大戦後衆議院議員や党幹部にもなったが、宮本顕治の路線と対立して結局除名された。最後は志賀義雄らの「日本のこえ」とも別れ、共産主義運動を検証する著作や史料集を作った。国家への抵抗者たちも、統治エリートの人々同様、激しく自らの道を歩む人ばかりである。

自立した人々

このような政治による分断に巻き込まれず、自らの立場を保とうとした人々も忘れてはなるまい。筆者はそのなかでも、香月泰男と磯永秀雄を特に挙げたい。香月泰男については「はしがき」でも触れられているので、ここでは簡単に書き留めるだけにしたい。山口の日本海に面したまち、三隅で生まれ育った香月は軍国主義に翻弄され、中国東北部に兵士として送られ、敗戦後はソ連によってシベリアに抑留されるという壮絶な経験をしたことで知られている。そのなかで香月は「組織」や「国家」に対する徹底的な懐疑の視線を身につけた。組織の決定だからとか、国の決めたことだから、という言い分に簡単には屈しないということである。そして、当事者の頭越しに戦争が始まり勝手に終わり、兵士には何の説明も謝罪もないという点から「戦争を認める人間を私は許さない」（『私のシベリヤ』）と語った。その上で、自らの立つ長門市三隅の四つ角こそ世界へのゲート、ここが「私の地球」である、と宣言した（香月には同名の作品がある）。

もう一人の礒永秀雄は詩人である。生まれは朝鮮で、東京帝国大学文学部に学んだのだが、学徒出陣で南方戦線に送られ、ニューギニアで戦場を体験した。そのときのことは、小説「埋葬」（一九六四年、『礒永秀雄選集』所収）に描かれている。生還後、詩人として世に出て、全国的な詩集にも作品が掲載されるほどの実力をみせていた。だが礒永は東京の文壇に背を向け、山口県光市で高校教師をしながら「民衆詩」「正統詩」を宣言し、雑誌『駱駝』を主宰した。礒永には、光市室積の風景を「おしなべて空はくらく／ほむらが海山の恋をむすんだ頃に／川もまた海ぞこにきよい慕情を横たえて流れていた」という流麗な調子で描いた詩「室積」がある。

この礒永に詩や戯曲、創作童話を掲載する紙面を提供したのが、下関で『長周新聞』を発行していた福田正義であった（以下、福田正義については、主として『福田正義の生涯　家族による編纂』長周新聞社、二〇〇四年による）。福田は下関出身で、商業実践学校卒業後、社会主義運動に身を投じ、下関で働いた後北九州で地方紙『門司新報』の社員として記事やコラムを書いていた。やがて社会主義者への弾圧が強まると、福田は中国東北部に渡り、最初は満鉄社員会、後には『満州日報』で働いていた。そして敗戦後の一九五五年、故郷下関市で『長周新聞』を旗揚げしていた。福田はこの当時日本共産党に属していた。礒永が同紙に発表した作品で衝撃的なものは、安保闘争時、樺美智子の死に際して書かれた「輪姦」（一九六〇年）である。ただ、礒永自身は共産主義者ではなかった。第二次世界大戦後、一度はキリスト教徒になり、後に息子の死を契機にして熱心な創価学会信者になったりもしている。

礒永秀雄の晩年の作品
『燃える海』（長周新聞社）と
『仏教物語』第一巻（潮出版社）

一九六六年、彼らの関係を試される事件が起きた。文化大革命の評価をめぐって日本共産党が分裂したのである。山口県では、県委員会が東京の党本部に対立して文化大革命を支持する立場に転じ、後に「日本共産党（左派）」を名乗るようになった。福田はその中心人物であり、『長周新聞』も彼らの新聞となった。礒永は周囲の人から福田との関係を断つように求められたが拒絶し、日蓮の言葉に由来する「ただいま臨終」をタイトルに据えた詩を『長周新聞』に発表して自らの立場を明らかにした。礒永自身は「福田氏はウロウロするような男ではない。私は彼の人間性とその奥にあるたしかな革命の火種を信じていた」（エッセイ「回顧など」一九七五年）と書き残している。礒永は、福田という人物に対する信頼と友情においてその立場を明らかにした、といえるだろうか。礒永はさらに、文化大革命さなかの中国に渡り、四人組の一人姚文元と会見し、毛沢東と文化大革命を讃える詩集『燃える海』

を刊行した（一九七三年）。このような文筆活動と並行して、礒永は、仏教経典の内容を基にした『仏教物語』（全四巻、潮出版社、一九七四～一九七六年）も発表した。礒永は「海」と「星」をよく歌う詩人であった。奇しくも文化大革命が終わる年に礒永は病没し、その後の中国が歩んだ道を知らない。戦争と植民地という、ボーダーの激しく動く周縁を経験したことが、礒永と福田を結び付けたのだろうか。

以上のように、山口の歴史と文化と人物をまとめてみた。山口というと、どうしても明治維新の話が出やすい。中世のことに詳しい方は「大内」を語る。キリスト教文化だと「サビエル」（この名前の表記はなかなか難しい。「ザビエル」とも「ハビエル」とも書かれることがある。Ⅴ章も参照）となる。どっぷりと歴史の濃い部分が存在する。また人物の点から見ても、指導的立場や支配者になるものが多い。特に近代以後はそうだ。コラムでも触れるが、ある一族から首相や大臣が続々と出る、などというのは山口ならではだろう。政治や軍事に関心が深い人だと、山口を少し歩くだけで多くのものを見つけ、ため息をつくはずだ。

だが山口は政治や軍事以外にも歴史がある。反体制の人々、反骨の士もいる。文化芸術も捨てたものではない。日本画の松林桂月（まつばやしけいげつ）（萩）のような人や、音楽評論からフィンランドの文化に思いを馳せた森本覚丹（もりもとかくたん）（宇部）のような人物もいた。ひとりひとりが、内なるボーダーを乗り越え、さまざまなボーダー（国境、思想、宗教、言語など）を飛び越え、自らの世界を切り拓いていった。山口は想像するより、広くそしてディープな空間である。

（井竿 富雄）

■参考文献

・伊藤隆編『山県有朋と近代日本』吉川弘文館、二〇〇八年
・伊藤之雄『山県有朋　愚直な権力者の生涯』文春文庫、二〇〇九年
・栖来ひかり『台湾と山口をつなぐ旅』西日本出版社、二〇一八年
・板垣竜太ほか『東アジアの記憶の場』河出書房新社、二〇一一年
・土井彌太郎『山口県大島郡ハワイ移民史』マツノ書店、一九八〇年
・木村健二『近代日本の移民と国家・地域社会』御茶の水書房、二〇二一年
・森秀人『蛆の乞食よ目をさませ――本物の教祖・北村サヨの生涯』大和出版販売、一九七五年
・入江貫一『山縣公のおもかげ』マツノ書店、二〇〇九年（復刻版）
・岸信介ほか『岸信介の回想』文藝春秋、一九八一年
・高橋秀直「山縣閥貴族院支配の構造」『史学雑誌』九四巻二号、一九八五年
・徳田球一・志賀義雄『獄中十八年』講談社文芸文庫、二〇一七年
・中北浩爾『日本共産党――「革命」を夢見た一〇〇年』中公新書、二〇二二年
・和田春樹／G・M・アジベーコフ監修、富田武／和田春樹編訳『資料集　コミンテルンと日本共産党』岩波書店、二〇一四年
・立花隆『シベリア鎮魂歌――香月泰男の世界』文春学藝ライブラリー、二〇二三年（『私のシベリヤ』が全文収録）
・冨成博ほか編『礒永秀雄選集』長周新聞社、一九七七年
・山口文憲『日本ばちかん巡り』ちくま文庫、二〇〇六年

安倍一族の興亡

はるか昔の学生時代、萩の松陰神社に初めて行ったとき、境内にある歴史館に蝋人形が飾られていたことを思い出す。山口県出身の首相をかたどった蝋人形が、伊藤博文以下並べてあった。伊藤博文、山縣有朋、桂太郎、寺内正毅、田中義一、岸信介、佐藤栄作、と続いたところで並んでいたのは安倍晋太郎であった（人形があったか説明だけだったか、今となってはうろ覚えである）。安倍晋三元首相の父である。そこにあった説明には

「安倍晋太郎（予定）」

と麗々しく書かれてあった。しかし安倍晋太郎は首相になることなく病没した。この時点では、まさかその子息、安倍晋三が日本政治史上最長期間、首相を務めることになるとは予測だにされていなかった。ちなみに歴史館は改装中（二〇二三年一〇月までの予定）で、まもなく安倍晋三の人形も登場するらしい。

山口県というと明治維新とふく刺しと総理大臣のイメージしかない人も多いだろう。確かに輩出した総理大臣の数が多い。その特徴を見ると、藩閥・軍人・王朝、といえるのではないかと考えた。「王朝」とは大げさだが、以下に見る安倍一族はそう思える。

駆け足で山口県出身の首相を見てみよう。伊藤博文は立憲政治の基礎を作り、第一回帝国議会で施政方針演説をしたのは帝国陸軍創設者山縣有朋だった。日露戦争とその後の政治を運営し、軍人の地位を捨てて戦前期二大政党制を作ったのは桂太郎だった。（その風貌が似ていたことから）「ビリケン宰相」といわれながら、結果として原敬に政権への道を開いたのは陸軍元帥寺内正毅（と、最終的に決断した山縣）である。そして、陸軍大将から政党総裁へと転身を遂げながら、古巣の陸軍による謀略で天皇の怒りを買い失脚させられた田中義一のような人物もいた（Ⅲ章参照）。

このような変転の中で、日置村（今の長門市）村長になった人物が、安倍寛である。安倍家は大地主だった。安倍寛は村を出て東京帝大に進み、東京でビジネスに従事したが、関東大震災で事業をたたみ村に帰り、そして今度は村長として故郷を預かった。安倍寛は日米戦争開戦後に行われた翼賛選挙で、大政翼賛会の推薦を受けない「非推薦候補」として衆議院議員選挙に立候補し当選した（これはきわめて困難なことであった）。この人物の息子が安倍晋太郎である。晋太郎も東京帝大に進んだが、日米戦争に召集され、からくも敗戦後帰還できた。

安倍寛が非推薦候補として当選したとき、推薦候補として出てきたのが岸信介だった。山口中学―第一高等学校―東京帝大を首席で突っ走り官僚になった岸は、「国体護持は私有財産制度の護持ではない」という信念を持ち、東条内閣でも商工大臣として経済統制を担当していた。岸の弟佐藤栄作は第五高等学校から東京帝大へ進み、その後鉄道（当時は国営）運営を預かる官僚だった。岸・佐藤兄弟（それぞれ養子縁組でその姓を名乗っている）は、当時の実力者であった鮎川義介（日産の総帥・満洲国の国策会社である満洲重工業開発株式会社のトップ）、そして国際連盟脱退で著名な

松岡洋右（満鉄総裁や外相を務めた）と縁戚・姻戚関係にあった。その岸が、自分の娘洋子の結婚相手として選んだのが安倍晋太郎だった。安倍晋太郎は「岸の女婿」といわれることを嫌い、ことあるごとに「私は安倍寛の息子」と強調したという。戦後すぐ死去した安倍寛と異なり、岸信介は戦時下東条英機と対立して失脚し、戦後は戦犯容疑で逮捕されるも釈放され、政党政治家に変貌して「昭和の妖怪」と呼ばれる存在になった。むろん、岸にも国民の大反対を押し切り、かつての敵アメリカと改訂安保条約を結ぶという屈曲があった。その屈曲をさらに穿った形で受け止めたのが、岸の孫で安倍晋太郎の次男だった安倍晋三である。しかも、安倍晋三の母方の叔父は、密約付で沖縄返還を成し遂げた佐藤栄作だった。

ジャーナリスト青木理の著書『安倍三代』では、安倍晋三という人物はそれまでの一族の人々と異なる「平凡」な人物として描かれている。村人に敬愛された安倍寛、下関で選挙権のない在日コリアンからも支持された安倍晋太郎と異なり、山口で育ったことのない晋三は特徴のない凡庸な若者として浮かび上がる。

佐藤栄作石碑

ただ、筆者は安倍晋三の奥底に潜む鬱屈を見落とすべきではないと考える。岸、佐藤、そして安倍晋三にはそれぞれ自伝や回顧録、政策論がある。回顧録は美化も多いが、人となりもそれなりに現れる。岸は回顧録や聞き書きが多く、政策を述べる著書もあるが、あくまで理智的で冷静な人物を演じる（これを突き崩したのが原彬久による『岸信介証言録』である）。佐藤の回顧録『今日は明日の前日』は、岸とは違う、多少人間味のあるところを示そうとする。これに対し安倍晋三は、著書『美しい国へ』を読むと明瞭だが、どこかほの暗い。筆者は政治学者牧原出の「言語化不能な猜疑心が、奥底で澱んでいる」という評に強く納得した。安倍晋三没後に出た『安倍晋三 回顧録』は、日本政治史上最長の首相を務めた自信も見えるが、「野党」「マスコミ」「財務省」に対する敵意、あるいは被害者意識が強く出る。それでも、うまくいけばもう一度、と思っていたに違いない。まさか自分が、父と同じ年でこの世を去らねばならぬとは思っていなかったはずだ。安倍晋三には子どもがなく、その系譜は弟・岸信夫の子孫に続くことになった。「王朝」はまだまだ続くのである。

（井竿 富雄）

■参考文献

- 青木理『安倍三代』朝日文庫、二〇一九年
- 安倍晋三ほか『安倍晋三 回顧録』中央公論新社、二〇二三年
- 岸信介『我が青春――生い立ちの記 思い出の記』廣済堂出版、一九八三年
- 佐藤栄作『今日は明日の前日』フェイス、一九六四年
- 原彬久『岸信介証言録』中公文庫、二〇一四年
- 安倍晋三『美しい国へ』文春新書、二〇〇六年（その後、何度か改訂）
- 牧原出『「安倍一強」の謎』朝日新書、二〇一六年

大内家の「地方分権」エネルギー

かつて、内館牧子（うちだてまきこ）さんが山口市で講演したおり、大内家はひょっとしたら日本の「メディチ家（ルネサンス期のフィレンツェの支配者）」になりえたかもしれない。山口城は、日本のトスカーナになる可能性があった、という趣旨の発言をされた。

私も同感である。西洋が「長い一六世紀（一四五〇〜一六四〇年頃）」に大航海時代を現出させ「アジアの海」に勇躍してきたこの時期、奇しくも、日本人もまた、同じこの海域に雄飛しようとしていた。

この当時、西日本の雄藩（ゆうはん）は鉱山の開発に成功し、世界的な規模の鉱山経営を運用しようとしていた。長門、北九州の銅山、石見（いわみ）の銀山、出雲（いづも）の砂鉄などはなかでも有名である。大内一族は、この豊富な鉱物資源（貨幣素材）で、唐（とう）、天竺（てんじく）、南蛮（なんばん）の物産を買い付け、アジアの「海の道」を開発整備しながら輸出入事業に全力を傾けていた。とりあえず、対馬海峡、東シナ海に商路が開かれ、これを延長して、インドネシア、タイ、ベトナム方面にも盛んに進出して海外の新奇な商品を購買した。ときには海賊行為も辞さない日本の商船団が、やがて勘合貿易船（かんごうぼうえきせん）、御朱印船（ごしゅいんせん）として東アジアの国際的な権力構造の内側へ秩序付けられ、商業利益が安定するとともに莫大な富の蓄積となっていく。

大内と毛利に庇護された歴史溢れる大寧寺

この大量の輸入物資による生活革命が、室町後期、南北朝時代以降の日本人の生活のスタイルを抜本的に変えていったことは明らかだ。日本人の生活感覚が「応仁の乱」以前と以後では、はっきり別のものになったという見方もある。

少し立ち入ってみる。一三世紀末から一四世紀にかけての日本には、外交と内政にかかわる二つの重要な事件があった。一つは、元寇（げんこう）。特に弘安の役（一二八一年）ののち、黄海（こうかい）、東シナ海方面への航路開発が進み、国際化への基盤整備が始まった。もう一つは、南北朝の対立から武家の室町幕府が出現して大規模な地方分権のエネルギーが台頭し、遂に「応仁の乱」（一四六七年）に至る。この時期、国際進出と地方分権が西南日本において一体的に実現した。

こうした趨勢に乗じた山口の大内一族（鷲ノ頭氏（わしのうずし）、陶氏（すえし）を含む）は、対立勢力と争闘を繰り広げつつ二つの目標を達成しようとしていた。一つは「アジアの海」への航路整備と商業権益の確保。そしてもう一つは、貿易の元手となる国産鉱物資源の独占である。輸入の決済に充てられたのは、銅、銀、砂鉄、硫黄などの鉱物資源だったが、当時の丹波（たんば）以西の中国山地や北九州は豊かな資源の宝庫だった。

大内氏は、採鉱技術や冶金（やきん）技術を錬磨しながらこれら埋蔵資源の確保とその独占に専念した。それと同時に、これら生産物の保管、運輸経路、積出港、中継基地、海上警護等のシステム開発に注力したことは当然である。そこに手抜かりがあっては、大内氏の栄華も砂上の楼閣と終わったであろう。

当時の地方武士団の躍進の背景には、彼らのコンサルタントとして機能した新興仏教勢力があった。中央権力と結びついて利権を確保していた既成仏教勢力と対立し、盛んに地方の分権を促した。

それが教線を伸ばして生き残る道だったからである。南九州の島津家と本州西端に立地する大内氏は、後発の新興宗教であった曹洞宗教団の西日本における突出した二大スポンサーとなった。中国で学んだ留学僧たちの先端知識・ノウハウ・コネクションは、海洋貿易立国をめざす島津、大内の地域戦略にとってかけがえのない知的資源であり、また、多くの場合禅僧は有能な外交官でもあった。

この時期、この地方では、宗教と経済を一体として展開する地方戦略が進行していた可能性が高い。例えば長門市仙崎港近くに建立された大寧護国禅寺（大寧寺の正式名称）は、足利幕府が明国との間で勘合貿易の制度を整える時期から、大内家の社稷を相続した毛利氏が関ケ原に敗れて海上権を失うに至る一七世紀初頭までの二五〇年間にわたり、周防灘、玄界灘、対馬海峡、黄海に連なる交易路線に沿って、数多くの末寺、孫末寺を津々浦々に配置している。中国山地の鉱物資源と東アジアの海を繋ぐこのシフトの狙いは、現代の情勢から見て、よほどの想像力がなければ推し量れない。

日本と西洋は、ほぼ同じ時期に、同じアジアの海に触発されて、大変革を経験した。しかし、そのあとが違った。大内家は、イタリアにおけるメディチ家のように、日本のルネサンスを推進することはできなかった。歴史の歩みが正反対になってしまった。なぜだろうか。理由ははっきりしている。日本人が、近世以降、民族の一大決断として活動の舞台を国内に封じ込めてしまったからである。その間、西洋は世界に版図を拡大しつづけた。

視点をかえてこの問題をもう少し考察してみよう。

現代世界のヘゲモニーを握っている強国はアメリカである。文字通りのパックス・アメリカーナだ。過去となった冷戦時代、パックス・ルッソ＝アメリカーナの二極構造の世界においても、我が国は否応なしの選択として終始一貫アメリカの強い磁力線による引っ張りを享けざるを得なかった。国の姿勢は、太平洋とその向こう側に照準されている。つまり、日米安保条約のシステムが機能し、結果、日本は「アジアの海」に背を向ける姿勢で一貫してきた。その象徴が「東京」である。東京は、アジアの地域社会から見て「一番遠い日本」である。西方にいまや昔日の浄土はなく、高麗、唐、天竺、南蛮のかつての魅力が失われて久しい。誰もが「東京」を見ている。「東京」でよいと思っている。この現代のシステムの中では、山口、九州、壱岐、対馬、五島、沖縄は、いずれもミヤコから遠い辺境の地である。

だが、右に述べた「長い一六世紀」時代の日本には、太平洋もアメリカも存在していなかった。富と文明の風は一貫して「アジアの海」から吹いてきたのである。西南日本の各地はいやでも興奮せざるを得なかった。

だから、我々は一六世紀モデルによって再び鼓舞されるべきであると考える。ふと気付けば、中国、韓国、台湾、ＡＳＥＡＮ諸国、わけてもインドが、猛烈な勢いで経済発展を成し遂げつつある。

見損なってはいけない。「唐」、「天竺」は、再び確実に復権しつつある。「アジアの海」がその魅力と力を取り戻しつつあるのだ。

パックス・アメリカーナは、なるほどしばらく世界の基軸であり続けるであろう。この面倒は「東京」が見る。つまり、国家としての日本が見る。われら西南日本の地域社会は、自分たちの立地している足元を見直して、再び「アジアの海」から吹き始めた古くて新しい風に柔軟に反応すべきだ。

東京にばかり見とれているな。「地方分権」「地方の時代」は、掛け声ばかりの空念仏であってはならない。「地方の時代」の設計図はまた「国際化」とも重なるべきであり、「東アジア」の地域間連合が「東京」とは無縁な形で立ち上がってくれれば慶賀の至りではないか。

（岩田　啓靖）

大寧寺境内にある大内義隆自害の地

Ⅲ　地域が抱える光と影

光と影が交差する地域

本州の最西端に位置する山口県。徳川封建の時代の長州藩は、江戸からの遠距離と対馬を媒介とする朝鮮半島の近接地であり、朝鮮半島を経由して李朝（りちょう）や歴代の中国王朝との一定の関りを保持していた。そして、近代の幕開けと時を同じくして、長州は歴史の舞台に躍り出る機会を得る。

明治国家成立以後、明治政府とは薩長土肥（さっちょうどひ）を中心とする侍集団による、言うならばクーデター（政変）によって、徳川幕藩体制を崩壊に追い込んだ。明治国家では、伊藤博文、山縣有朋、桂太郎をはじめ、いわゆる「元勲」と呼ばれる政治家を輩出する。新政府が成立した後も山口は、もう一つの日本の中枢的な役割を果たし続けた。

その一方で、首都東京への憧憬の深さは尋常でなかった。そこには自らの出身地が〝首都〟でありながら、リアルの首都が存在することへの嫉妬であったかもしれない。山口出身者の多くが、憧憬と嫉妬とを熱源にして、中央志向を異常なまでに膨らませていった背景がそこにある。

昭和の時代を迎える前後まで、軍中央では〝長州人（山口県出身者）にあらずんば軍人にあらず〟と言った勢いで、軍での高位高官を約束されたのは、山口県出身者に限られるとされた時代が長く続いた。事実、昭和の時代に入り、最初の総理大臣となった田中義一をも含め、山口出身者が政治・経済・軍事の諸領域において中枢の地位を占めていた。

だが、驕れるもの久しからずで、山口出身者にも不運が訪れる。一九二八年六月四日、中国東北軍閥の最高実力者であった張作霖（ちょうさくりん）の爆殺事件（満州某重大事件とも言う）が起きる。この事件に絡み、田中義一首相は当初昭和天皇に首謀者が日本軍人の可能性があると上奏しながら、陸軍部内から反発されたため、前言を翻し、二度目の上奏を行った。昭和天皇は事件の真相を承知していたため、田中の上奏内容に大いに不満を抱く。それが原因となり、田中は事実上辞職に追い込まれる。虚偽の上奏が若き昭和天皇の怒りを買ったのである。天皇の怒りを聞かされた田中は驚愕し、辞職を決意する。以来、今度は逆に長州人、山口出身者へのバッシングが始まる。文字通り、山口県出身者は天国と地獄を体験することになった。

田中の軌跡に象徴されるように、山口県は光と影が交錯する歴史を刻んだ特異な地域でもあった。本章では、その光と影を追っていく。山口県は筆者にとっては、二七年間の長きにわたり住み続けた故郷でもあり、沢山の友人・知人が暮らす土地だ。

山口県ほど、影と光が交錯する土地も多くはないのではないか、と勝手に思いつつ、一介の歴史研究者としては、どうしても山口の負の歴史に思いが行ってしまう。しばらく山口県の歴史散策にご同行願いたい。

長生（ちょうせい）炭鉱（宇部市）・海底に眠る鉱夫たち

最初の舞台は宇部市である。私の思い出話から入ることを許されたい。

一九九一年の初春、東京羽田空港からおよそ一時間半のフライトで、赴任地となった山口県入りをしたときのこと。私はほぼ中央の右座席の窓際に搭乗した。搭乗機は、次第に降下を開始する。何気に外を覗くと眼下に二本の巨大な〝煙突〟を目撃する。それは正しくはピーヤと呼ばれる海底炭田の通風孔だった。そのとき、私は戦前から石炭の産出県として知られた山口のことを想起した。眼下のピーヤは海底炭田として名を馳せた長生炭鉱のものだった。

空港着陸時に二本のピーヤを眼下にするには、海岸を右手に東から西に向けて着陸する場合に限られる。第一ピーヤは海岸からおよそ五〇メートル、第二ピーヤはおよそ二五〇メートルの距離にある。特に引き潮時に海岸に降り立つと、非常に近い位置に見ることができる。

海底炭田の通風口「ピーヤ」

同炭鉱は、一九四三年二月三日の早朝六時頃から異常出水が始まり、二時間後の午前八時頃には水没したとされる。逃げる間もない悲惨な事故となった。このような事故を炭鉱用語で「水非常」と呼ぶ。長生炭鉱は満州事変勃発の翌年一九三二年から操業が開始された。

アジア太平洋戦争がはじまると石炭需要が高まり、増産が至上命令となった。その日、海底に伸びたおよそ一キロの沖合で水没事故が発生し、一八三名の鉱夫が犠牲となった。そのうち朝鮮半島出身者が一三六名であり、犠牲者のおよそ七割を占めた。長生炭鉱は以前から「朝鮮炭鉱」とも呼ばれており、朝鮮人労働者が多いことで知られていた。劣悪な労働環境のなか、危険な海底で長時間労働を強いられ、そして事故に遭遇したのである。長生炭鉱の朝鮮人を含めた犠牲者たちは、今も冷たい海底に眠っている。

長生炭鉱の記念広場

この事故を記録に残そうと市民たちが立ち上がった。ピーヤを見やる海岸の土地の地権者を探し当て、土地購入と記念碑の建立にこぎつけた。それは犠牲者たちを悼むだけでなく、犠牲を強いた当時の日本国家への反省を求め、歴史の教訓とするものとなった。現在も二月の第二週目の土曜日に韓国からも犠牲者の遺族らを招き、慰霊祭が執り行われる。私も何度も出席したが、遺族の人たちは寒さをも気に留めず、海岸からピーヤに向かって、花束を投げ込みながら、「아이고」（アイゴー）の言葉を連呼する。

記念碑の建立に苦労を共にしてきた市民たちは、二〇一四年に新しく「長生炭鉱の水非常を歴史に刻む会」を発足させた。同会は海底に眠る遺骨の収集をめざすとのことだ。冷たい海に沈む犠牲者を「救出」することが、多くの犠牲者たちの祖国、大韓民国（韓国）と朝鮮民主主義人民共和国（朝鮮）との歴史和解にも大切な取り組みとなっている。

引揚の地・長門仙崎港

次なる舞台は長門市である。宇部市が瀬戸内海に面した工業港湾都市とすれば、長門市は日本海に面した、かつて鯨漁で名を馳せた漁港である。

少々古い話で恐縮だが、NHKの朝ドラで『和っこの金メダル』を記憶されている人はどれだけおられるだろうか。朝ドラの主人公は、長門市仙崎の青海島（写真参照）出身のバレーボール選手となった「和子」の活躍を描いたドラマだ。一九八九年一〇月から一九九〇年三月まで放送され、最高視聴率四〇・五％を記録した連ドラだった。

一九六四年の東京オリンピックで有名となった「東洋の魔女」の一人がモデルとなっていたという。青海島はJR長門駅からバスで二〇分ほどの距離にある。仙崎港を右手に眺めながら大橋を渡ると、そこは北長門海岸国定公園の中心に位置する青海島である。周囲四〇キロメートルほどの島。大自然が削り上げた洞門や断崖絶壁・石柱など数多くの奇岩・怪岩などが林立する、まさに「海上アルプス」ともいわれる絶景が拡がっている。

ストーリーは完全に記憶から消えてしまったが、ドラマに登場した青海島に、山国育ちの私は随分と魅了されていた。山口で職を得た私は、赴任してからまもなく山口市から一時間半ほどの同地を訪ねてみた。山口在住時は、何度も出かけては散策を堪能した思い出多き島となっている。

何度も通ううちに、実は長門市の仙崎港にいつしか気持ちが向くことになった。そこには「海外引揚げ上陸跡地」の碑がある。同港は一九四五年八月の日本敗戦後、「外地」からの引揚者の上陸地として知られた場所だった。仙崎は鯨漁で栄えた仙崎港や青海島に代表される観光地としての顔とはまったく真逆の一面をもつ別の歴史舞台だった。

青海島

引揚者が最も多く上陸したのは福岡港の約一三九万人との記録があるが、他に舞鶴（京都府）、佐世保（長崎県）、門司（福岡県）などの各港も知られている。長門市の仙崎港には敗戦の年の一九四五年と翌年の一九四六年の二年間だけで約四一万四〇〇〇人が上陸した（『仙崎引揚援護局史』）。

仙崎港が日本有数の引揚げの地であったことが世に知られることになった番組がある。山口の地元テレビ局である山口放送（KRY）が作成放映したドキュメンタリー「奥底の悲しみ——戦後七〇年、引揚げ者の記憶」（二〇一五年五月三〇日放映）である。

同番組は『仙崎引揚援護局史』に記載された「特殊婦人」、つまり、旧満州（まんしゅう）在住時代にソ連兵から性暴力を受けた女性被害者の記録に焦点をあてる。

彼女たちは他の引揚者と隔離されるように問診を受け、その被害の実情が記録されていく。当時問診を担当した人たちへの丁寧な取材をも含めた史実の掘り起こしが進められた。奥底にある深い悲しみを歴史として記憶に残すことは、現代に生きる私たちにとっては、平和な社会を創り上げるために不可欠な作業であり、責任である。ドキュメンタリーは、一九九五年の日本放送文化大賞テレビ・グランプリを受賞することになった。

実はこの番組に私も少しばかり関わっている。日本放送文化大賞は中国・四国地区など全国七地区から一つの番組がグランプリ候補番組として選出される。私は中国・四国地区での地方審査委員長を依頼されていた。同地区内の何本もの候補作を順次視聴していくのだが、私は最初から同ドキュメンタリーをダントツに評価するコメントを他の審査員に向け、控えめながら発言を繰り返した。ただ、内容が重く、他の出品作と比べても、決して楽しく視聴できる内容ではなかっただけに、他の明るく愉快な作品を推す声がなかったわけではない。議論の末、同ドキュメンタリーを中国・四国地区の最優秀候補として全国審査に出品することになった経緯がある。それだけに私にとっても、思い出深い作品として強く記憶している。

海外引揚げ上陸跡地

ところで仙崎港には、もう一つの忘れられた事実がある。引揚げ者の話ばかりしたが、実は同港からは朝鮮への帰還者もまた多数いるのだ。その数は敗戦の年の九月から翌年の一〇月にかけて同期間の引揚者より多い三三万四三三四人と記録されている（『仙崎引揚援護局史』）。しかし、その歴史事実を伝える史料はほとんど見当たらない。また、「海外引揚げ上陸跡地」のような記念碑もない。本来ならば「朝鮮帰還者出発地」の記念碑があってもいいはずだ。まさに、忘れられた帰還者たちの運命を思う場だ。

朝鮮人の祖国帰還事業は日本敗戦から一ヶ月も経たない八月三〇日から開始され、仙崎港からの帰還は同年九月二日からである。記録によれば、その日およそ七〇〇〇人の邦人を乗せて入港した興安丸（こうあんまる）に朝鮮への帰還者を乗せて送り出した。仙崎港には、その後も隣県である広島県の宇品（うじな）から特別列車が仕立てられ、港には数多の朝鮮人帰還者が集まった。大きな荷物を背負って帰還船に向かう朝鮮人たちの姿が映った写真も残っている。

仙崎港だけでなく、交通の便が比較的良かった下関港も帰還地とされ、最大で約三万人の朝鮮人帰還者が集合したとされる。だが、Ⅳ章で触れられるように、下関港には連合軍が敷設した機雷が多数残存しており触雷の危険があったため、その心配のない仙崎港が優先的に選択された。

大津島回天基地跡

瀬戸内海に面した徳山市は、現在周南市と改名しているが、新幹線駅名は徳山駅のままだ。その徳山駅のプラットホームから瀬戸内海が眺望できる。晴れた日には、思わず見えるのではないかと思う島がある。実際には見えないのだが、戦争の悲惨さを伝える大津島だ。

その大津島には「回天」と称する人間魚雷の発射訓練場跡があり、「回天」をレールに乗せて運搬したトンネルも残っている。レール跡と思しきトンネルを歩くとしばらくして、訓練場にたどりつく。かつては絶好の釣り場にもなっていたが、危ないというので現在は金網が張られてしまった。

「回天」発射訓練場跡

アジア太平洋戦争の戦局が悪化すると、文字通り起死回生を狙って大型魚雷を改造した特攻「回天」が登場する。当時、特攻兵器といえば、「震洋」や「桜花」などがある。「回天」は九三式三型の酸素魚雷の改造であり、一人乗りで一・五トン余りの炸薬が装備されている。「回天」は潜水艦の甲板に固定されて敵艦近くまで輸送され、離脱して爆弾を抱え、敵艦艇に突入する。特攻兵器としては、なにより「ゼロ戦特攻」が有名だろう。こちらは「神風特攻」として戦後も繰り返しさまざまな場で登場する。

「回天」もまた「海潮」という名で、華々しい戦果を挙げた、と当時の新聞では報道されている。たしかに給油艦ミシシネワと歩兵揚陸艇LCI－六〇〇等を撃沈したとする史料は残っているものの、「回天」四九隻が敵艦に突入して体当たりに成功したとされるのは三隻のみ、つまり、成功率六％という記録もある。

「回天」

ところで大津島には徳山港から定期船が出ており、およそ三〇分で到着する。筆者は何度もゼミで学生を島に引率しており、他大学の学生たちのフィードワークの案内役を務めたこともある。島内の小高い丘の上にある回天記念館では、「回天」とともに運命を共にした殉職者たちの顔写真が飾ってある。

記念館では「回天」の乗組員の遺書とされる家族宛ての手紙も展示され、来館者の涙を誘う。そこは追憶の場であると同時に、若くして命を散らすことになった（大学生と年齢が変わらない）戦士たちへの同情と悔悟の情の発露の場となっている。

記念館の外には「回天」（レプリカ）が展示してある。記念館のなかで若き戦士たちの手紙に涙し、沈黙を保っていた学生たちに「回天」を背景に記念写真をと勧めてみても、誰一人一緒に写真を撮ろうとしない。思いを馳せているのだろうか、それとも過去の事実を確り受け止められないほど衝撃を受けてのことなのかはわからない。徳山港に向かう帰りの船内では、来島時と異なり、元気で青年らしい振る舞いが消えていたことを思いだす。

陸奥記念館

同じ瀬戸内海に面した柳井市の周防大島に、回天基地と並び、「戦争記念館」として知られている場所がもう一つある。山口県の数ある橋梁のなかで、筆者自身が最も美しいと感じている瀬戸内海に浮かぶ大島大橋を渡り、二〇キロほどいった島の東端にその記念館はある。周防大島の沖合で一九四三年六月八日、原因不明の大爆発を起こした日本海軍の戦艦陸奥が沈没する。陸奥は一九二一年に完成した当時世界をもリードする戦艦となり、いわゆる大鑑巨砲時代の幕開けに位置した戦艦であり、一時期、連合艦隊の旗艦でもあった。

一九七〇年、四〇メートルの海底に沈んだ陸奥の引揚作業が行われ、主砲など引揚げられた部品の一部が展示されることになった。ここもまた回天記念館と同じく、手紙類などが展示され、一種独特の雰囲気を醸し出している。栽培されたみかんに彩られた美しい島の片隅に静かにたたずむかの記念館を訪れる人は、大橋からも離れているためだろう、多くはない。

「回天」にしても「陸奥」にしても、登場した時期は異なるものの、「戦争の遺物」として本物であれレプリカであれ、保存することで戦争の悲惨さを後世の人たちに伝承する役割を担っている。ただ、それが戦死者を英霊とし、戦争を顕彰するかの行為となれば歴史の教訓を伝えることは困難だろう。このような戦争記念館は両刃の剣となる。どのような思いで記念館の展示物に接するかは、いまを生きる私たちにとっても常に課題となる。

岩国基地

瀬戸内海には日本では沖縄の嘉手納基地と並ぶ、巨大な米軍岩国基地がある。コラム「山口県の地域・国際交流」でも紹介されているように、基地は自衛隊も使用しており、日米共同利用の軍事施設になっているが、同時に民間機も乗り入れており、一種の多目的施設ともいえる。

筆者が大学生だった一九六〇年代後半から七〇年代はベトナム反戦運動の時代と重なっている。仲間たちと懸命にベトナム戦争について議論をし、それが戦争史への関心を膨らませていった記憶がある。同時に、日本の基地からベトナムの戦場に出撃する事実を知るにつれ、戦争と日本がこれほど近い距離と関係にあったことを思い知らされた。その出撃地としてフル稼働したのが沖縄の嘉手納基地と山口県の岩国基地だ。岩国基地はいつしか「東洋最大」と称された嘉手納を超え、一三〇機余りの航空機を保有する巨大な軍事基地となった。

ところで岩国基地の前身は一九三八年に建設された日本海軍の基地である。当時、岩国市川下地区の特産品として有名だったレンコンの水田を埋め立て、一五〇機前後の零式戦闘機が駐機する西日本有数の軍事基地と化した。日本の敗戦と同時に米軍海兵隊に接収されたものの、途中ではオーストラリアの基地となったときもあった。一九五〇年に朝鮮戦争が始まると、岩国基地は朝鮮半島との至近距離ゆえに国連軍、とりわけ米軍機の出撃地となった。

岩国基地は朝鮮・ベトナム戦争という二つの大きな戦争の出撃地としての機能を発揮し、その後、湾岸・イラク戦争でも重要な後たん基地としての役割を果たした。現在、アメリカによる対中国包囲の戦略上、不可欠な軍事基地としてさらに機能強化が図られている。なかでも、旧滑走路から一キロ沖合の場所に新滑走路を移設した、一九九七年の滑走路沖合移設作業は一〇〇億円という巨費を投じて行われた。事業は岩国市内の愛宕山を削り、土砂をベルトコンベアーで港まで運び、そこから運搬船で海洋に埋め込むという大工事であった。同時に水深一三メートルの港も建設された。

岩国基地空撮　（提供　朝日新聞社／時事通信フォト）

岩国基地はいま、沖縄・南西諸島にも勝る攻撃のための出撃地となりつつある。かつての朝鮮戦争やベトナム戦争のうえに、新たな戦歴が刻まれるようなことを許してはなるまい。

他方で、二〇一二年一二月から、民間機もこの施設の共同使用が許された。民間空港の発着場所は基地の隅っこではあるが、その名は岩国の名所として名高い錦帯橋にちなみ、「岩国錦帯橋空港」とされた。美しい名前の空港だが、爆音を轟かせて飛び交う軍用機の隙間を縫うようにして、民間機が発着している。軍事と平和の共存など本来ありえないのだが、ここでは一瞬の風景として「共存」が垣間みえる。山口宇部空港につぐ、県内二つ目の空港とはいえ、（広島空港のアクセスが悪いためか）利用客は広島県内在住者が多数を占める。島根県益田市にある「萩・石見空港」のように、これもまた県境を越えた空港といえよう。

ところで現在の岩国基地には、米軍司令部司令中隊や海兵第二四二全天候戦闘攻撃中隊などを中心とする第一二飛行大隊、海兵第一七一航空師団支援中隊、第三六戦闘補給部隊、第五空母航空団（空母艦載機部隊）が駐屯している。日本の海上自衛隊からは第七一、第八一航空隊を中心とする第三一航空群が配備されている。繰り返しになるが、岩国基地は日米共同の軍事基地であると同時に民間航空機も乗り入れる多目的併用施設だ。だが、その本質が東洋最大の軍事基地であることを見落としてはいけない。岩国の未来は、今後の米中対立など国際情勢に大きく左右されよう。

美しい橋の影に

私は構造物として橋が好きである。理由はうまく言えないが、繋げる役割に何となく妙な共感を覚えるからだろうか。山口の「三大大橋」と筆者が勝手に思い込んでいるのが、関門大橋・周防大橋（大島大橋）・角島大島だ。

本書で何度も言及されている、下関市と門司市を繋ぐ関門大橋（関門橋）は本州と九州を結ぶ全国区の橋として有名である。関門橋の下方向には有名な源平最後の合戦があった壇之浦がある。私などは江戸時代末期にイギリスやフランスなどの連合軍に砲撃され、攻め落とされた下関砲台のほうに関心が向くのだが。それはともかく一キロほどの関門橋をわたって九州に入る度に、この橋の建設にあたり、強制連行されてきた朝鮮人の犠牲を想起する。山口県は全国的に見ても、朝鮮半島と近接する地理的環境にあることもあり、一九三七年から始まる官斡旋によって来日した朝鮮人が厳しい労働環境のなかで危険な工事などに従事していた事実を胸に刻んでおきたい。

山口県でテレビコマーシャルの撮影地ともなり、最も注目度の高い観光スポットとなっているのが長門市に所在する本土と角島を結ぶ角島大橋だ。長さは一七八〇メートルで、総工費は実に一四九億円を要したとされる。

角島大橋

橋が完成するまでは渡し舟が唯一の交通手段であった角島には、日本海に浮かぶロケーションであることも手伝い、アジア太平洋戦争が始まる二年前の一九三九年七月に砲台が建設された。竣工は一九四〇年九月だから、日米戦争が始まるおよそ一年あまり前のこと。ラ式一五センチカノン砲＊四門が設置された。島に砲台が設営されるケースは、幕末から戦前までは珍しいことではなかったが、この美しい橋が砲台跡のある島に通ずるルートだとは感慨深い。

角島では砲台跡や弾薬跡を道路沿いにも見ることができ、説明版も設置されている。美しい島で新鮮な海産物を堪能した帰りの道すがらに、戦跡に立ち寄るのはためらいもあるのだが、いつしかこれが習慣となっていた。

秋吉台

山口県で角島大橋のような構造物ではなく、自然が織りなす風光明媚な場所といえば、やはり秋吉台だ。私は高校の修学旅行で初めて山口県を訪れた。他の行き先はすべて忘れてしまったが、この秋吉台だけはすこぶる印象に残っていた。はるか太古の時代、海底であったとする何とも幻想的な誕生経緯を知るまでもなく、本当に心の奥底までとどく解放感を与えてくれる不思議な空間で

＊角島に設置されたカノン砲は、日中戦争のさなか、江蘇省の鎮江（江蘇省）や江陰からの分捕り品、つまり鹵獲品であり、ラ式とはドイツの兵器メーカーであるラインメタル社製からそう呼ばれた。いまでは平和の風景そのものの角島に、鹵獲品の大砲が日本海に向けてかつては睨みを効かせていたなど想像しがたい。

ある。

山口県人となって二七年間、山口市小郡（おごおり）の自宅から三〇分ほどの距離にあったこともあって、少なくても月に一～二回は散策に出かけていた。季節ごとの移り変わりも見事だ。わらびやら天然のアスパラやらを採取したり、草原植物を堪能したりとまったく飽きることをしらない場所だった。二月の山焼きも春の到来を知らせる忘れがたいイベントだった。

だが、この秋吉台も戦前は日本陸軍の実弾演習場（大田（おおた）演習場）として広島第五師団隷下の第四二連隊が演習を重ねる場であった。それを戦後、山口県に駐屯したニュージーランド軍が強制接収。一九五五年からは同軍に代わって在日米軍の海軍航空部隊が対地爆弾演習地としての使用を打診してきたことがあった。これに対して当時の山口県知事小澤太郎が拒否する回答を出す。地元の有志たちも知事の回答を支持するため「大田演習場接収解除促進期成同盟」を結成。一丸となった反対運動により米軍は断念に追い込まれた。秋吉台の高台には、「秋吉台国定公園空爆演習場反対記念」の石碑が誇らしげに建立されている。

秋吉台（提供　山口県観光連盟）

反対運動といえば日本海に面する豊浦（とようら）に予定された原発を地元の漁師たちが団結して反対運動を展開し、中国電力に撤回させた歴史もある。山口県は「保守王国」といわれながら、一方で生活と平和を護る闘いの歴史が刻まれた地でもあるのだ。そのことを強く意識し、誇りにしている数多の人たちがいる。

アジア大陸との接点の地

海には可視化された国境ラインは引けない。山口の半分は陸地で他県と繋がり、残りの半分は橋で繋がる九州と、海を挟んで朝鮮半島や中国と接する地である。あえて言うならば、本州の最南端に位置することで、山口は東方に首都圏を、北方には朝鮮半島と中国大陸、南方には東南アジア方面を眺望する。その地理的な広がりが徳川封建体制を崩壊に追い込んだ担い手となることを促し、明治の時代からは中国大陸との接点として人も物も送り出す起点の一つにもなった。

そして、大正・昭和の時代に入り、人々は中央への限りない憧憬と長州人としての誇りと自覚を失わなかった。とりわけ、大陸や朝鮮への玄関口として重要な役割を担った山口県最大の都市下関は、日本の大陸政策を考えるうえでなくてはならない国際都市となった。朝鮮併合後には多くの朝鮮人が居住し、現在でも市内の大坪（おおつぼ）地域には「コリアタウン」として活気ある独特の空間が創り上げられている。

日清戦争の講和条約締結の地が下関（春帆楼（しゅんぱんろう））であったのは決して偶然ではない。下関が大陸政策推進の起点であったからだ。

いずれにしても山口は日本近代史にさまざまな場で舞台を提供してきた地である。戦争とのかかわりも深かった山口だが、これからは朝鮮半島、中国大陸、台湾を含め東南アジア地域の接点の地として平和の発信基地の役割を担って欲しいと願わずにはいられない。

（纐纈　厚）

■参考文献
・厚生省仙崎引揚援護局『仙崎引揚援護局史』一九四六年
・渡部義之『海龍と回天』学習研究社、二〇〇二年
・旅行ガイドブック編集部『ことりっぷ　山口・萩・下関・長門・角島』昭文社、二〇二二年
・交通新聞社編刊『別冊旅の手帖　山口』二〇一七年
・小川国治『山口県の歴史』山川出版社、二〇一二年
・鈴木士郎・岡島慎『地域批評シリーズ38 これでいいのか山口県』二〇一九年、マイクロマガジン社

春帆楼に隣接する日清講和記念館

Ⅳ　ゲートウェイ・下関 ――関釜連絡船の母港

下関というところ

本州の最西端に位置する下関市。目の前に日本地図を広げられたとき、主要四島のなかで、多くの人が即座に「ここ！」と、その位置を指せる基礎自治体はおそらく二つしかない。一つは下関市で、もう一つは北九州市。それぞれが本州と九州を隔てる、狭い関門海峡（最も狭い箇所で幅約六五〇メートル）に面した自治体であるがゆえである。

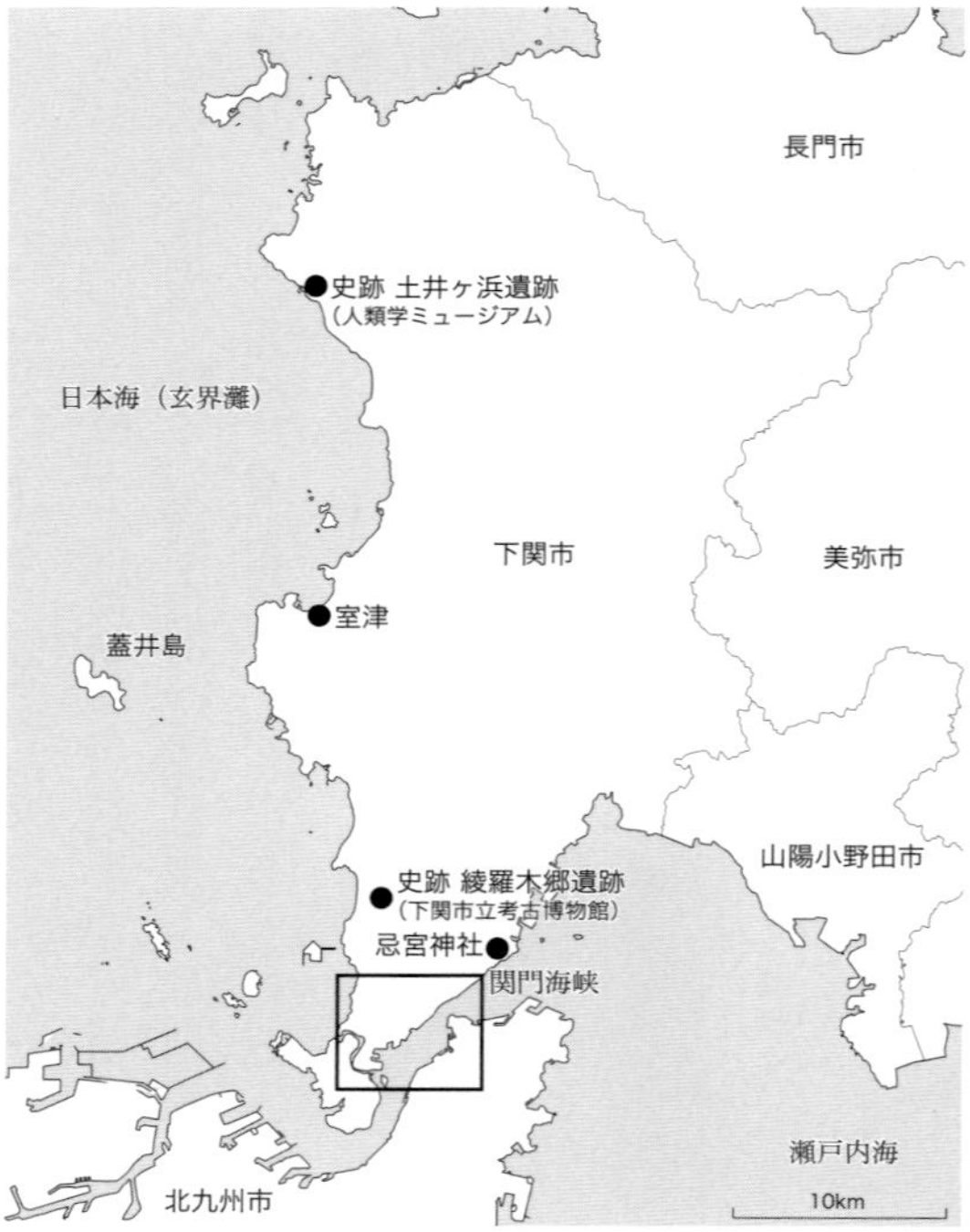

□ 部分拡大図 P55

下関市は「三方を海に囲まれ」と紹介されるように、関門海峡のみならず、瀬戸内海（周防灘）、日本海（玄界灘）という三つの海に囲まれている。また「大陸と一衣帯水の位置にあり」とも説明され、玄界灘を越えれば、朝鮮半島、中国大陸へとつながる位置にある。

下関の名称は、古代、長門国に設けられた長門関に由来する。地理的に海の関所でもあり、陸の関所でもあった長門国西端に長門関が設けられていた。長門関は摂津国の摂津関とともに、陸の三関（伊勢国の鈴鹿関、美濃国の不破関、越前国の愛発関）に次ぐ重要な関とされた。三関が陸の要所の関所であるのに対し、瀬戸内海の東端である摂津関と西端である長門関は、特に海の関所として重要視されていた。瀬戸内海に面した山口県東部には上関、中央部には中関があるが、下関は単に山口県西部の関所という以上に規模も大きく、そもそもは瀬戸内海西端の関所という意味であった（『下関市史　原始―中世』第一編第六章「下関の成立」）。

下関の歴史は海とともに

下関は日本の歴史の大きな転換点に登場する。貴族から武士の支配の時代へと転換する源平合戦の、最後の戦いが繰り広げられた壇之浦の戦い（一一八五年）。幕末維新の時代には、尊王攘夷の急先鋒となった長州藩が外国船を攻撃した攘夷戦（一八六三年）、四国連合艦隊に大敗し開国へと藩論を転じることになる下関戦争

（一八六四年）。いずれもこの関門海峡が舞台だった。

前章でも触れたが、一八九五年、日清戦争の講和会議が開かれ日本の伊藤博文・陸奥宗光と清の李鴻章・李経方により下関条約が結ばれたのも、関門海峡に面した料亭・春帆楼（四三頁写真）である。

歴史の転換点ではないが、「巌流島の決闘」で知られる巌流島も関門海峡にある。宮本武蔵と若き美剣士・佐々木小次郎が白砂青松の砂浜を駆けたのち、櫂で作った木刀で武蔵が小次郎を倒す映像が浮かぶかもしれないが、これは吉川英治の小説『宮本武蔵』が映画化・ドラマ化され、作られたイメージ。実際には決闘が行われた年も判然とせず、武蔵と小次郎の年齢も小次郎の方が年上で老齢だったともいう。巌流島（船島）は、大正年間の埋め立てで以前の約三倍の広さになっており、左右に本州・九州の陸が迫り、映画・ドラマのイメージとはほど遠い。しかし、速いときには時速九・四ノット（一七・四キロ）にもなるという関門海峡の潮流のただ中の島で、確かにそこで行われた決闘に思いを馳せるのも一興だ。

巌流島

このように、下関と聞いて想起される歴史は九州との間に横たわる関門海峡に関係するものが多いのだが、本章では特に日本海（玄界灘）との関係に注目して下関の歴史を概観したい。それはまさに日本から朝鮮半島・中国大陸という異国へと向かう、国境の海だからだ。

玄界灘を越えて——古代と中世

下関市でまず人々が住み着き生活を営んだのは、玄界灘に面した綾羅木川流域と考えられる。綾羅木郷遺跡をはじめ、海岸沿いには、縄文、弥生、古墳時代の遺跡が多く残る。市北部の土井ヶ浜遺跡では、多くの弥生時代の人骨が玄界灘に顔を向けた状態で埋葬されていた。土井ヶ浜人は面長、高身長で、縄文的特徴を持たず、大陸方面からの渡来人だった可能性もあるが、そのルーツは未だ明確ではない（Ⅴ章参照）。

六世紀来、日本（ヤマト政権）は東アジアの国際関係の中で朝鮮半島の国々（加羅諸国、百済、新羅、高句麗）との勢力争いを行っていた。『日本書紀』（七二〇年成立）に記述される神功皇后伝承に下関（当時の名称は穴門）が登場する。伝承では、仲哀天皇が九州の熊襲征伐に出向く途中、穴門に豊浦宮を造り神功皇后とともに滞在した。神功皇后は、熊襲の前に金銀の豊かな西の国（新羅）を討てとの神託を受けるが、仲哀天皇はそれを聞かずに熊襲を討ちに行き、途中亡くなってしまう。神功皇后は穴門に天皇の遺体を一時安置し、神託通り新羅に出兵すると、新羅は戦わずして服属し、百済、高句麗の二国も同様に従ったという（ここまでは『下関市史　原始―中世』第一編第三章及び『豊北町史　二』二に依拠）。

豊浦宮に由来する忌宮神社（下関市長府宮の内町）境内には、仲哀天皇が来襲した新羅の武将塵輪を討ち、その首を埋めたとされる鬼石がある。毎年八月七日から一三日までの夜、男たちが竹を数十メートルもある幟に仕立て、鬼石の周りを担いで回る奇祭・数方庭祭が行われている。

神功皇后が生きたとされる時代（三世紀）、朝鮮半島に百済、新羅、高句麗はまだ存在しておらず、神功皇后自体、伝承の人物と考えられる。神功皇后の伝承は、『日本書紀』が編まれた七世紀末から八世紀初の東アジア情勢を反映して日本に都合のいいように創作されたものと考えられるが、ずっと後の豊臣秀吉の朝鮮出兵、明治日本の朝鮮半島進出の際にも想起されることになるのである。

鎌倉時代の文永・弘安の役（元寇）の際には、通常博多に着くはずの元の使者が長門国室津に着いた（一二七五年。使者らは関東に送られ処刑）。壱岐に出兵した元軍の一隊が長門浦に着岸し（一二八一年）、戦いが行われたこともあった。

数方庭祭（忌宮神社）

室町時代には、守護大名大内氏が山口に拠点を構え、対馬―博多―赤間関（下関）―兵庫を結ぶ海上交通を支配し、朝鮮・中国との交易に大きな役割を果たした。画家・雪舟が明に留学できたのも、大陸へのルートを持つ大内氏の庇護を受けていたからにほかならない。瀬戸内海を牛耳る海賊は、大内氏にとって脅威であり室町幕府に派遣された朝鮮通信使の悩みでもあったが、戦国期になると大内氏の海上軍事力として働くようになる。さらに大内氏は、壱岐・対馬・松浦を拠点に近辺を荒らしていた倭寇を抑えることで、朝鮮・中国の信頼を得て、足利将軍に代わって勘合貿易を仕切るようになった（コラム「大内家の『地方分権』エネルギー」参照）。下関は、瀬戸内海の出入りを取り締まる要であり、対外的には朝鮮・中国との交通、貿易の要衝だったのである。大内氏が滅び勘合貿易が途絶えてからも、毛利氏支配下の下関が、国内のみならず朝鮮・中国への交通・貿易の要衝であったことに変わりはない（ここまでは『下関市史　原始―中世』第二編第一章に依拠）。

近世から近代

徳川時代の下関は、大坂から九州を結ぶ航路、北国（山陰・北陸・東北・蝦夷）への航路（北前船の西廻り航路）の要衝であり、関門海峡を毎日多くの廻船が往来していた。「出船千艘・入船千艘」といわれ、「西の難波」とも称されるほどの海運の隆盛により繁栄した。幕府のいわゆる鎖国政策により、対外貿易港としての機能は失われていたが、朝鮮通信使や長崎出島のオランダ商館長らが江戸を往復する際、交通の要衝である下関を必ず通過するため、下関では国際的な情景をしばしば目にすることができたのである。

徳川時代の朝鮮通信使は、豊臣秀吉の朝鮮出兵によって断絶していた日本と朝鮮との関係が修復、国交再開後に派遣されたものである。基本的に徳川将軍の就任祝いを目的に、朝鮮国王の国書を携え、計一二回来日した。対馬での対応となった第一二回を除き、それまでの一一回は、全て下関を経由している。通信使一行は、漢城（現ソウル）を陸路で出発し、朝鮮半島東南の釜山から海路で日本に向かう。対馬、壱岐、相島（福岡県）を経由して、日本の本島に初めて上陸するのが下関である。外海の荒波を越え、内海（瀬戸内海）の航海に入るための休憩と準備のため、下関には数日間滞在した。その後、大坂までは海路、その後は陸路で江戸に向かった。復路も同様に、内海から外海に出る準備や風待ちのため下関には数日滞在した。

通信使が立ち寄った各地では、儒教の先進地・朝鮮から来た通信使との文化交流が行われた。通信使の書画を求める者も多く、今日でも通信使由来の祭りや踊り、人形などが残る地域もある。下関では、源平の戦いで壇之浦に入水した安徳天皇を偲び安徳天皇陵前で通信使が作詩するのが恒例だった。日本と朝鮮の国交回復に努力した松雲大師がここで作詩したことに因んでのことである。藩命により長州藩の学者や医者との学術交流も行われ、藩は通信使から学術的知識や東アジアの知識を入手した（『下関市史　藩制―市制施行』第一編第七章「対外関係」）。

赤間神宮

廃藩置県（一八七一年）により、幕末維新の中心的存在だった長州藩とその支藩も廃止され山口県となる。県庁は、最も人口が多く発展していた下関に置く案もあったが、結局、大内時代の政治文化の中心地で、地理的に県の中央にあり幕末に藩庁が置かれていた山口に置かれることになった。

下関市は、一八八九年に市制が施行された際に全国で誕生した三一市の一つだが、実は当時の市名は赤間関市という（一九〇二年、市名変更）。市制施行当時の市域は、関門海峡に面した地域（伊崎町～壇之浦町。五・三六平方キロ）のみで、人口は三万七三九人だった（面積、人口は下関市データによる。以下同）。全国でも珍しい市名の変更は、下関戦争や日清講和条約中に下関の名があるなど「下関」が国内外に知れ渡っていることから行われることになった。その後、大正・昭和に数回の合併を経て（旧）下関市の最終的な市域（二二四平方キロ）となる。明治から昭和初めにかけての下関の発展については、次項以下に譲ることとする。

平成の大合併により（旧）下関市と豊浦郡四町（菊川町、豊浦町、豊田町、豊北町）が合併して、二〇〇五年、（新）下関市（七一六平方キロ）が発足した。新市の市域は（旧）下関市時代から広域行政事務組合を置いて広域消防等の事務をともに行なっていた地域である。徳川時代は長州藩の支藩だった長府藩の範囲とほぼ一致し、歴史的にも一定の一体感を持つ地域である。新市域の人口は一九八〇年頃の約三二万五千人をピークに減少し、現在の推計人口は二五万人を割る。

下関港の発展と関釜連絡船の就航

港を中心とする下関の発展は、本州の最西端にあり、九州や朝鮮半島・大陸に渡るための結節点であるという、その地理的特性にある。下関港への外国船の直接入港は、幕末の一八六四年、下関戦争の講和の際、高杉晋作により開港されたことに始まる。

明治になり、一八七六年二月、日本は江華島事件を機に日朝修好条規（江華島条約）を結んで朝鮮を開国させると、半年後には貿易章程を締結して正式に朝鮮との貿易を始めた。当初日本は朝鮮貿易を国内貿易扱いとし各地から日本人商人が参入したが、朝鮮が一八八二年の米国をはじめ欧米とも通商条約を結ぶと、さすがに翌年には外国貿易扱いとなり、博多・厳原（対馬）・下関の三港が朝鮮貿易の特定貿易港とされた。下関は朝鮮貿易の一大拠点となったのである。市制が施行された一八八九年には赤間関（下関）港は特別輸出港に指定された。

昭和10年代の関釜連絡船（提供　下関市）

一九〇一年五月、山陽鉄道株式会社により山陽線が開通し、「馬関駅」（細江町）が開業する。駅名は一九〇二年、市名の変更とともに「下関駅」と改称され、同年、駅前に国内初のステーションホテルとして、木造洋館の山陽ホテルが営業を開始。多くの政・財・官界の要人に利用された。

一九〇五年、韓国京釜鉄道株式会社の釜山―京城（現ソウル）間開通を受けて、山陽鉄道株式会社は山陽線と京釜線との連絡運輸を計画した。同年九月一一日、関釜連絡船・壱岐丸（一六八〇トン）が就航し、下関と韓国・釜山間に隔日出発の関釜定期航路が開設される。日露戦争に辛勝した日本がポーツマス条約によりロシアから朝鮮半島での優先権を得た、同年同月のことである。同年一一月には対馬丸（一六七九トン）が就航して毎日運航となった。船名は、いずれも下関―釜山間の玄界灘に浮かぶ島名からの命名である。対馬丸就航の同月、日本は第二次日韓協約により韓国の外交権を奪い保護国化する。関釜連絡船の歴史は、まさに日本の朝鮮進出とともに始まったのである。翌一九〇六年、鉄道国有法により関釜連絡船は国鉄航路とされ、山陽ホテルも国鉄経営となった。のちに、奈良ホテル（一九〇九年開業、一九一三年国鉄直営）、東京ステーションホテル（一九一五

昭和11年の旧下関駅（提供　下関市）

年開業、一九三三年国鉄直営）とともに国鉄直営の三大ホテルとして知られることとなる。

関釜連絡船の旅客数は、運航が開始された一九〇五年度は約三万五千人だったが、翌一九〇六年度には約九万五千人、一九〇九年度には一二万人を超え、壱岐丸、対馬丸だけではさばけない旅客、貨物を、民間船借上により対応した。当時、関釜航路を利用するのはほぼ日本人で、韓国人は少数の留学生、商人、観光客だけだった。一八九九年の勅令第三五二号「条約若ハ慣行ニ依リ居住ノ自由ヲ有セサル外国人ノ居住及営業等ニ関スル件」により、外国人は日本国内での労働を事実上禁止されていたのである（関釜連絡船のトン数、就航年月日、各年度旅客数は『下関市史　市制施行―終戦』「交通・通信」による。以下も同じ）。

併合後の日朝渡航者

一九一〇年八月二二日、日本が韓国を併合する条約が結ばれ、関釜連絡船も国内航路となった。併合の噂とともに下関には日本各地から一攫千金を目論む日本人が押しかけ、関釜連絡船は出港ごとに満員の状態となる。

一方、併合により日本国籍となった朝鮮人（大韓帝国は朝鮮に改称）は外国人ではなくなり、制度上日本での労働も可能になったため、仕事を求めて関釜連絡船に乗り込む者も増えていった。旅客数は、韓国併合の一九一〇年度には一四万八千人、一九一二年度には二〇万人に達した。一九一一年秋の南満州鉄道安奉（あんぽう）線開

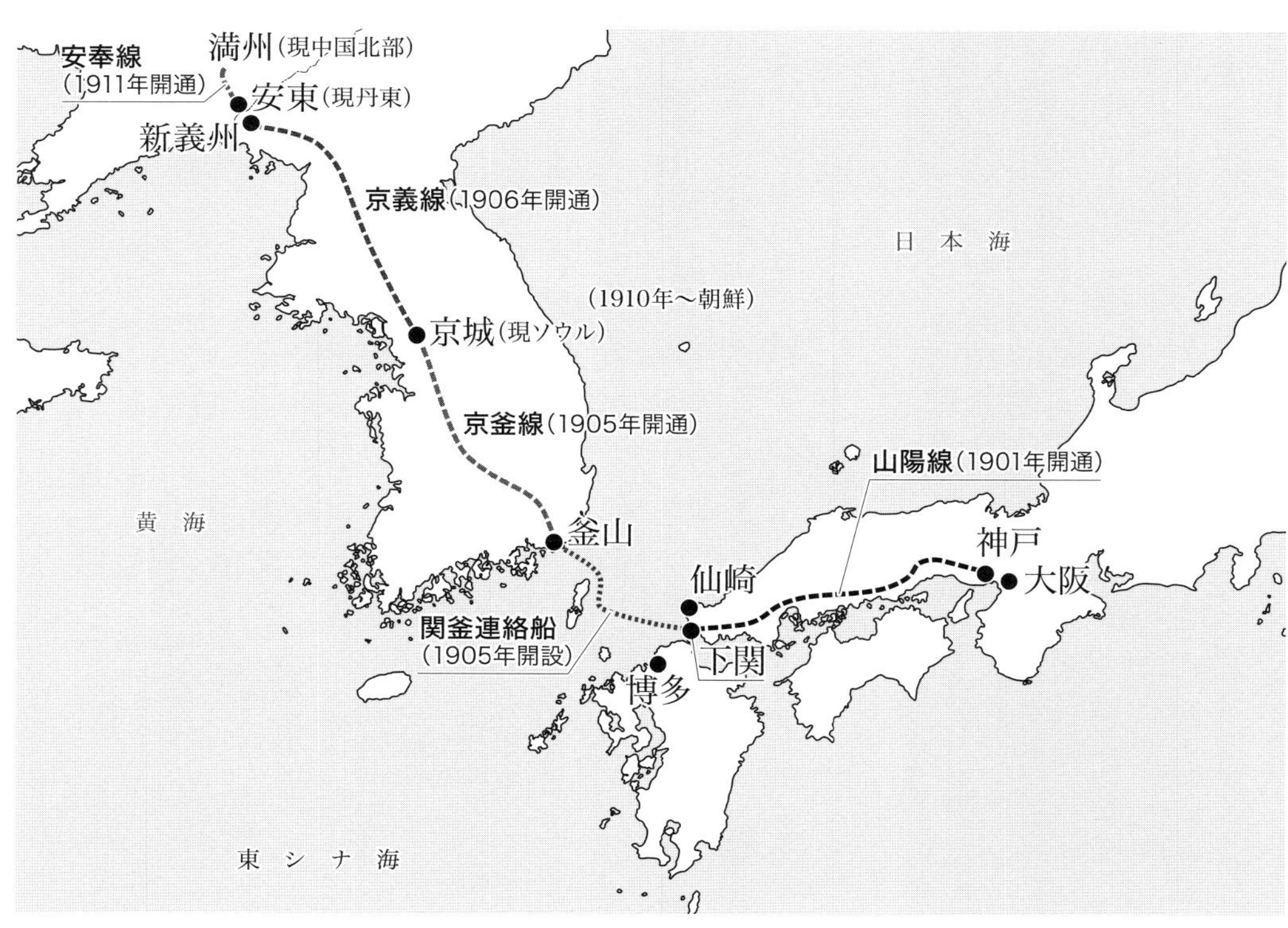

通で、関釜連絡船、朝鮮鉄道、南満州鉄道経由での日中連絡運輸が可能になると、旅客、貨物ともにますます増え、一九一三年、一四年には新造船、高麗丸（三〇二九トン）と新羅丸（三〇二一トン）が就航する。それぞれ、かつて朝鮮半島に存在した国名から命名された。

併合後急増した旅客の中には、東洋拓殖株式会社（東拓）の募集に応じ、朝鮮に入植する日本の貧農たちの姿があった。東拓は日本の朝鮮植民地政策に協力しつつ拓殖事業を行った国策会社である。東拓が国の土地調査事業を通じて土地を取得し日本人が移住してきた結果、多くの朝鮮の農業労働者は労働・生活の場を失う。行き場を失った農業労働者らは、朝鮮北部地方では満州に、南部地方では関釜連絡船に乗って日本に渡ったという（金賛汀『関釜連絡船』）。

大正８年の下関市市街新地図の一部

一九一四年、第一次世界大戦が始まると大戦による好況で世界的に船舶が不足し、日本の朝鮮・満州貿易は関釜連絡船に集中、大戦中、貨物量は年間四〇万トンを超えるまでになった。一九二〇年度には旅客数は四四万二千人を超えて輸送力の増強が必要となり、純旅客船として一九二二年に景福丸、徳寿丸、翌二三年に昌慶丸（各三六一九トン）が就航する。それぞれ、朝鮮王朝時代の王宮からの命名である。慶福丸型船といわれる同型のこの三隻は、後ろに傾斜した二本の煙突とマスト、巡洋艦型の船室を持つ高速船である。旅客定員は一等四五人、二等二一四人、三等六九〇人の計九四九人で、それまで一一時間半かかっていた下関―釜山間を八時間で結んだ。

下関駅前の山陽ホテルは、一九二二年に火災で全焼した後、一九二四年に鉄筋コンクリート地上三階地下一階の外装タイル張り洋館として再建された。九州、大陸に渡る玄関口として多くの人が利用し、ソ連に亡命した女優・岡田嘉子やベーブ・ルース、ヘレン・ケラーなどが泊まった。皇族専用の貴賓室が設けられるなど格式が高く、調度品なども一級品で揃えられ、レストランでは紫の着物のユニフォームから「紫の君」と呼ばれた高等女学校出身の才媛

大正３年頃の山陽ホテル（提供　下関市）

たちがサービスを行い人気を集めた（『下関市史　市制施行－終戦』「観光」）。

一九一七年頃から、日本の紡績、炭鉱などの業種での労働者不足を補うため、各企業が朝鮮各地で盛んに労働者募集を行うようになる。しかし、一九一九年、朝鮮で三・一独立運動が起こると、運動の広がりを恐れた朝鮮総督府は、同年四月の警務総監部令第三号「朝鮮人ノ旅行取締ニ関スル件」により朝鮮人が朝鮮外に出る際の旅行証明を義務付けた。この制度は、一九二二年一二月にいったん廃止になり、戦後恐慌により日本では失業者が溢れるなか、少しでも低賃金で働く労働者を求める炭鉱、紡績などの企業の募集に応じた多くの朝鮮人労働者が関釜連絡船で日本に渡った。

一九二三年九月、関東大震災の際、朝鮮人が井戸に毒を入れたなどの流言を信じた者により、各地で朝鮮人が惨殺される事件が起きると、下関には日本を離れる朝鮮人が殺到し、一時その入国が禁じられたこともあった。しかし基本的に日本への渡航者は年々増加していく。仕事のあてもなく日本に出稼ぎに来る者が増え、国内の朝鮮人が一〇万人を超えると、日本政府は朝鮮人の渡航に厳しい条件を付けるようになっていく。一九二五年、内務大臣の要望により朝鮮総督府は許可を得た企業しか労働者募集ができない渡航阻止を実施し、また旅費以外に一〇円以上の所持金があること等を求めた。これらの条件に合致せず、多くの者が釜山で関釜連絡船乗船を阻まれることになった。一九二九年四月には、内務省から日本国内企業に朝鮮人労働者の集団移入の見合わせが通知された。

年度 西暦（年号）	人数（人）	年度 西暦（年号）	人数（人）
1905（明治38）	35,000	1926（昭和元）	583,011
1906（同 39）	95,000	1927（同 2）	688,645
1907（同 40）	112,000	1928（同 3）	711,332
1908（同 41）	116,000	1929（同 4）	729,243
1909（同 42）	120,466	1930（同 5）	625,273
1910（同 43）	148,254	1931（同 6）	590,164
1911（同 44）	175,502	1932（同 7）	643,008
1912（大正元）	200,674	1933（同 8）	743,421
1913（同 2）	197,403	1934（同 9）	769,648
1914（同 3）	192,153	1935（同 10）	814,230
1915（同 4）	199,201	1936（同 11）	統計なし
1916（同 5）	208,746	1937（同 12）	1,029,201
1917（同 6）	283,557	1938（同 13）	1,353,993
1918（同 7）	365,567	1939（同 14）	1,793,059
1919（同 8）	431,776	1940（同 15）	2,198,113
1920（同 9）	442,027	1941（同 16）	2,200,845
1921（同 10）	464,915	1942（同 17）	3,057,092
1922（同 11）	563,107	1943（同 18）	2,748,798
1923（同 12）	576,745	1944（同 19）	1,659,500
1924（同 13）	628,036	1945（同 20）	499,512
1925（同 14）	598,174		

『関釜連絡船史』『下関市史　市制施行－終戦』より

表　関釜連絡船旅客輸送数

一九二九年一〇月、ニューヨークの株価の大暴落をきっかけに世界恐慌が起こると、日本でも大不況となり巷には失業者が溢れた。労働者で最も早く解雇の対象になったのは朝鮮人労働者で、行き場のない彼らは帰国のために下関や大阪に向かった。

三・一独立運動を機に始まった朝鮮人の渡航制限は、はじめは主に日本の治安維持のため、のちには日本の労働市場の調整のためという、ときどきの事情によって行われたのである（金賛汀『関釜連絡船』）。

大陸への玄関口・下関

関釜連絡船の旅客は一九二九年度に年間七二万九千人を超えるまでになっていた。世界恐慌で一時減った旅客数は、一九三二年の「満州国」成立後、再び急増する。満州に向かう人々は、直接中国に向かう船を利用する者もあったが、多くは下関から釜山、釜山から鉄道で満州の長春（ちょうしゅん）、奉天（ほうてん）などに向かった。輸送力増のため新たな連絡船が必要とされ、一九三六年一一月、金剛丸（七〇八二トン）が、翌一九三七年一月には同型船の興安丸（七〇八〇トン）が就航する。それぞれ、朝鮮の名山・金剛山、中国秘境の山・興安嶺から名付けられた。二隻は夜航専用の客貨船で、定員は一等（寝台）四六名、二等（寝台）八〇名、（雑居室）二三六名、三等（寝台）二〇〇名、（雑居室）一一八四名、計一七四六名だった。出入口には税関・検疫手続きを行う広く明るい大ホールが設けられており、手続き終了後は三等船室の談話室としても使われた。それまで三等船室は機械室に近く蒸し風呂のようで大変不評だったが、三等を含め冷暖房完備、船の全補助機関が電化されて、船内環境は劇的に改善された。外観も外国客船のようにスマートな船体だった。

金剛丸（提供　下関市）

一九三七年、日中戦争が勃発すると関釜連絡船の輸送量はさらに増加した。同年度、旅客数は一〇二万人を超え、翌一九三八年度には一三五万人超、一九三九年度には一七九万人超と、急増していった。従来の旅客便四便、不定期旅客便二便に加え定期を二便増加し、貨物も従来の定期便四便に加え変則便一便を設置した。

一九三九年七月、徴兵による日本国内の労働力不足を補うため、朝鮮人労働者の重要産業移入が閣議決定され、十月から各事業所の自由募集が始まる。厳しく制限されていた朝鮮人労働者の渡航は、戦争によって一転推進されることになったのである。一九四二年には朝鮮総督府による官斡旋で大規模な労働者動員計画が行われ、一九四四年には国家総動員法に基づく国民徴用令が朝鮮半島にも及んだ。関釜連絡船はその終焉の日まで、これら多くの朝鮮人労働者を運んだ。一九四四年一二月、「朝鮮及台湾同胞ニ対スル処遇改善ニ関スル件」により朝鮮から日本への渡航制限も撤廃されるが、これは戦争の激化で植民地住民の皇民化をより進めるため発令されたものである。

一九四〇年度には旅客数は二〇〇万人を超え、大型新造船が必要となって、一九四二年九月、天山丸（七九〇七トン）が就航する。船体は灰色に塗られた戦時仕様だった。太平洋戦争勃発により関釜連絡船による大陸への物資、人員輸送はさらに増大し、一九四二年度の旅客数は、関釜連絡船史上、最高の三〇五万七〇九二人を記録した。最盛期には金剛丸、興安丸、天山丸、崑崙丸（一九四三年四月就航、七九〇九トン）の四隻で片航路一日一万四千人を運んだ。午前六時入港、午前一〇時半出発、午後六時入港、午後一〇時半出港を原則とし、その間に増便を行っても、なお多くの

崑崙丸（提供　下関市）

積み残しが出たという。

日本の大陸進出、戦争の拡大とともに、日本と朝鮮半島・大陸との間を関釜連絡船により大量の客貨が往来した。関釜連絡船の繁栄とともにあった下関の繁栄は、日本の大陸進出と一体だったのである。関釜連絡船の旅客には、山陽ホテルを利用するような名士もいたが、大多数は三等船室の人々であり、三等船室のなかでも朝鮮人の扱いは日本人とは区別されていたという。中国生まれの満映女優・李香蘭こと山口淑子の自伝（『李香蘭　私の半生』（新潮社））によると、一九三八年、関釜連絡船（おそらく金剛丸か興安丸）で初めて祖国日本を訪れた際、下関の水上警察署員に着ていた中国服を見咎められ、「貴様！それでも日本人か」「日本人は一等国民だぞ。三等国民の（中略）服を着て、支那語なぞしゃべって」と罵倒され、日本人の差別意識に驚いたという。

関釜連絡船の多くの旅客にとって初めての日本の地であった下関は、新天地の賑やかなまちである一方、人によっては苦々しい思い出の場所ともなったのではないだろうか。

戦争の激化と終戦

崑崙丸は増大する客貨に対応するため鉄道省が新造した天山丸型の大型船である。一九四三年四月に就航したものの、わずか六ケ月後に沈没する。一〇月四日午後一〇時五分に下関港を出港後、五日午前一時一五分頃、沖ノ島沖で米国の潜水艦ワフーの魚雷攻撃を受けたのである。鉄道連絡船最初の犠牲だった。乗船者数六五五人のうち、死者・行方不明者は五八三人。生存者はわずか七二人だった。

一九四四年六月、北九州が日本本土への初めての米軍による空襲を受けた。同年八月には各地で空襲が激しくなり、山陽本線で取消、遅延が多発して連絡船との接続に支障を来たすようになった。

一九四五年三月頃から関門海峡にはB29爆撃機が飛来し、多くの機雷を投下するようになった。四月一日、天山丸とともに下関港を出発した興安丸は、約一時間後、蓋井島沖で音響機雷により破損する。関門海峡に投下された機雷には、予め機雷ごとに爆発までに異なる回数が設定されていた音響機雷、船が通った際の水圧に反応し限度に達した時爆発する水圧機雷、船体の磁気の変化に感応する磁気機雷などがあった。興安丸の場合、天山丸が通過した後、興安丸の通過で設定回数に達した音響機雷が爆発したのである。その四日後には貨物船壱岐丸が機雷により破損。五月二五日には新羅丸が機雷により沈没し、その二日後には金剛丸が博多港で機雷により破損した。機雷投下は日に日に激しくなり関門海峡の通航は危険となったため、五月三〇日、関釜連絡船は母港下関港を離れ、基地を仙崎港（山口県長門市）に移す。六月二〇日に

磁気機雷

は全ての関釜・博釜連絡船が他航路に転用され、関釜連絡船は事実上終焉を迎えた。

米軍は終戦までに日本近海に計一万発以上の機雷を投下したが、その約半数が関門海峡に投下されたという。機雷により、戦地に向けて兵隊や物資を輸送する多くの護送船団の被害が続出したほか、関釜連絡船を含め関門海峡を通過する多くの船舶が被害を被った。戦後しばらくは、残った機雷が海峡を通過する船に反応して爆発し、爆音とともに海峡に上がる水煙がしばしば見られたという。掃海作業は昭和四〇年代まで継続して行われたが、現在でも数年に一度は機雷が発見されることがあり、海上自衛隊により掃海作業が行われる。

関門海峡は瀬戸内海の関門、九州への連絡口、朝鮮半島・大陸への玄関口であるため、下関は西日本における国防の拠点だった。日清・日露戦争のときから太平洋戦争にいたるまで、兵站基地として軍需品の輸送港、軍隊の発着地の一つでもあった。一八九〇年、陸軍は下関に要塞砲大隊を設置し、砲台や兵舎、練兵場などの軍事施設を造った。砲台は戦場ケ原、椋野の二砲台を中心に、高台の金比羅、火の山、老の山、霊鷲山にも設置された。戦後、火の山は瀬戸内海国立公園に指定され、関門海峡を眼下に望める観光地となるが、要塞だった間、一般人は一歩も立ち入ることはできなかったのだ。市内の撮影は特定の写真業者か報道関係に限られ、写真掲載には要塞司令部の検閲が必要だった。図面も同様で、市内地図は発行に要塞司令部の検閲済番号が必要であり、市内小中学校児童生徒のスケッチにも事前許可とスケッチ後の検閲が必要だった。

一九四五年になると本土の主要な都市がほとんど空襲の被害を受けたが、下関もついに地上攻撃を受ける。六月二九日午前一時一〇分頃、飛来したB29爆撃機は下関の壇之浦町から唐戸町方面に焼夷弾攻撃を加え、東部市街地が焼け野原と化したのである。七月二日午前〇時一〇分、再び空襲に見舞われ、市の中心部のほとんどが焼き尽くされた。下関市庁舎などの官公署、民間工場、学校、住宅など見境なく空襲を受け、下関駅や関釜連絡船発着場に隣接する山陽ホテル、広島鉄道郵便局下関駐在所、朝鮮総督府鉄道局鉄道案内所なども焼失したが、鉄道線路、軍事施設に被害はなかった。米軍は、事前に下関の詳細な地図や立体模型を作成した上で、戦後の統治に必要なインフラ施設を残す計画的な空襲を行っていたのである。これら二度の空襲で投下された焼夷弾は計四二〇トン、被災者は計四万五千人に及び、うち亡くなったのは計三二四人。七月二日の空襲では、火に追われて高台に登っていった約八〇人のうち七五人が焼死するという悲劇もあった（『記録写真と資料による太平洋戦争の記憶 下関空襲の全貌』、『下関市史 市制施行―終戦』「軍事」）。

関釜 関門航路 下関鉄道さん橋跡の碑

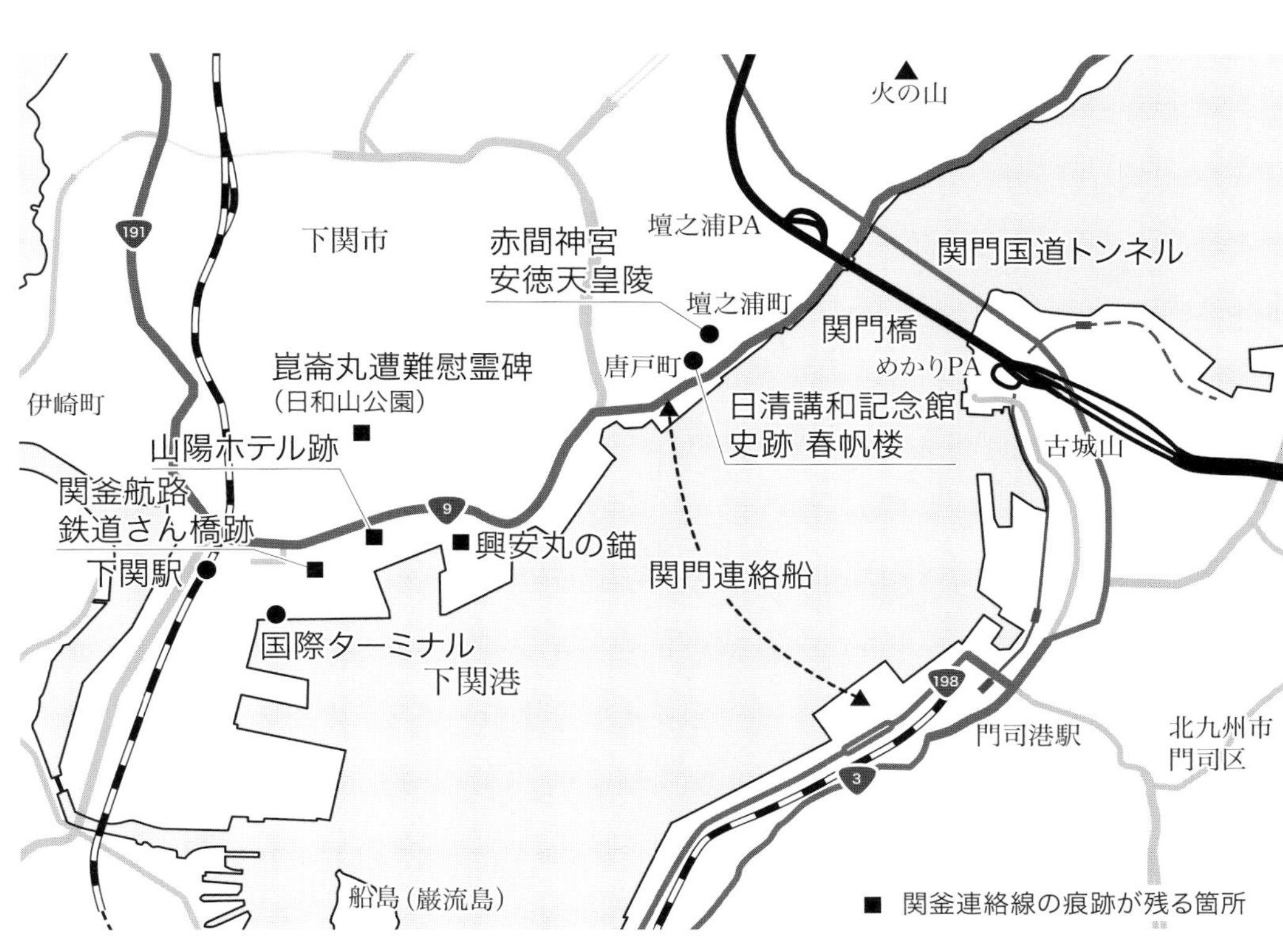

戦後、帰国・引揚船へ

日本の敗戦後、外地からの日本人引き揚げと国内在住朝鮮人の母国への帰還のための輸送が問題となり、この輸送に関釜航路所属の連絡船が当たることになった。しかし、母港の下関港は米軍敷設の機雷が無数に残っていて閉鎖状態だったため、引揚港として仙崎と博多が選ばれ、仙崎―釜山間に興安丸、博多―釜山間に徳寿丸が配船されて、一九四五年八月三〇日から運航を開始した。

戦後まもなく、下関駅には続々と帰国を望む朝鮮人が到着したが、下関からは帰国船が出ないと知って仙崎に向かう人々の列が絶えなかったという。仙崎からは、定員一七四六人の興安丸に、多いときは一度に八〇〇〇人から九〇〇〇人を乗せて出港し、釜山からは七五〇〇人くらいの日本人引揚者を乗せて戻った。博多港の徳寿丸も定員一〇〇〇人弱のところ、二・三〇〇〇人を乗せてピストン輸送した。仙崎港だけで一九四六年末までに約三四万人が朝鮮に渡った。

戦後、日韓間の定期航路は長く開設されていなかったが、一九六五年の日韓国交回復後、気運が高まり、業界・行政の努力によって、一九七〇年、民間の関釜フェリーが就航した。

関釜連絡船の痕跡

戦前、関釜連絡船の発着港として空前の活況を呈した下関だが、その痕跡はほとんど残っていない。旧下関駅、関釜連絡船発着場の周辺に、関釜・関門航路 下関鉄道さん橋跡の碑（豊前田町（ぶぜんだちょう）・海峡ゆめ広場)、崑崙丸遭難慰霊碑(丸山町・日和山公園)、興安丸の錨の設置(岬之町・下関市中央消防署前歩道)がある程度である。下関が最も華やかだった時代を象徴する山陽ホテルは、一九四五年に空襲被害を受けてホテルとしての営業を終えた。戦後は国鉄の事務所などに利用されていたが、建物の老朽化から、二〇一一年、惜しまれつつ解体された。現在は跡地前の歩道に、解体時に出た建築部材(壁面タイル及び軒下のレリーフ)を埋め込んだ記念碑が残るのみである。

関釜連絡船は日本が国策として行った朝鮮半島、大陸進出の大動脈だった。関釜連絡船の活況とともにあった下関の最も華やかな時代も、その終焉とともに去った。一九三九年の関門鉄道トンネル開通をはじめ、一九五八年の関門国道トンネル、一九七三年の関門橋の開通で、下関は九州との往来にも降り立つ必要のない通過都市となった。

しかし、関門海峡を中心に繰り広げられた数々の歴史の舞台となり、関門海峡をはじめ美しい豊かな海に囲まれた下関が魅力的であるのは変わりない。境界のまち、下関を感じるには、まずは北九州市門司との往来を。電車(新幹線、在来線)、自動車(関門橋、関門国道トンネル)、徒歩(関門トンネル人道)もよいが、おすすめは船(関門連絡船)。関門海峡の狭さと潮流の速さを肌で感じられる。そして、ぜひ一度、関釜フェリーで国境を越え韓国・釜山に渡り、関釜連絡船の時代に思いを馳せてみていただきたい。

(久保 伸子)

崑崙丸遭難慰霊碑

興安丸の錨

■参考文献

・下関市史編集委員会『下関市史　原始－中世』下関市、二〇〇八年
・下関市史編集委員会『下関市史　藩制－市制施行』下関市、二〇〇九年
・下関市史編集委員会『下関市史　市制施行－終戦』下関市、一九八三年
・下関市史編集委員会『下関市史　終戦－現在』下関市、一九八九年
・下関市史編集委員会『下関市史別巻(しものせきなつかしの写真集)』下関市、一九九五年
・『記録写真と資料による太平洋戦争の記憶　下関空襲の全貌』下関歴史探究倶楽部、二〇一九年
・豊北町史編纂委員会編『豊北町史二』豊北町、一九九四年
・『日本国有鉄道百年史第8巻』日本国有鉄道、一九七一年
・『日本国有鉄道百年史年表』日本国有鉄道、一九七二年
・『日本国有鉄道百年史通史』日本国有鉄道、一九七四年
・『関釜連絡船史』日本国有鉄道広島鉄道管理局、一九七九年
・金賛汀『関釜連絡船――海峡を渡った朝鮮人』朝日選書、一九八八年
・樋口雄一『日本の朝鮮・韓国人』同成社、二〇〇二年
・山口淑子・藤原作弥『李香蘭　私の半生』新潮社、一九八七年
・国立国会図書館デジタルアーカイブ

北九州市からみた下関

新型コロナウイルスの猛威に日本中が騒然となっていた二〇二〇年五月二九日、山口県知事は「感染の波が関門海峡を越えてくることを防ぎたい」として、北九州市と下関市の間の不要不急の移動の自粛を強く求めた。自粛要請の要因は、下関市内の感染者が一ヶ月以上確認されなかったにもかかわらず、北九州市が前日の五月二八日に公表した感染者の中に下関市在住者が二人いたことが判明、「下関市民が北九州で感染して帰って来る」という山口県あるいは下関市の不安と恐怖だった。

関門海峡

ただ、この時期は、四月から突然休校になっていた両市の小中学校がようやく再開され、公共施設も一部再開されはじめていた時期だけに、関門海峡を挟んで生活や仕事をしている人は移動の自粛などできるはずもなく、「自粛といわれても……」と複雑な思いだったろう。

関門海峡を挟む北九州市と下関市は経済的にも人的にも強く結びついている。通勤・通学で海峡を往復する人は一日なんと約一万人、下関市役所職員一五〇〇人のなかで北九州から通勤する人は約一六〇人にものぼっている。結婚を機に東京から北九州に移り住んだ私も、最初に勤務した大学は下関市立大学であった。毎日のように関門トンネルを使って、急ぐときには高速道路でもある関門橋を渡って、関門海峡を渡り続けた。東京にいた頃は関門海峡を渡るなんて「国境を超えるくらいの非日常的イベント」だと思っていたが、住んでみると関門海峡を挟んで向かい合う北九州市と下関市の距離的・心理的な近さに驚き、「関門海峡を渡るなんて、多摩川に架かる橋を渡るようなものだよ」と東京の友人に話したことを覚えている。ただ、もし私が二〇二〇年当時も下関市立大学に勤務していたら、「北九州からウイルスを運んでくる感染源」という眼で見られたかもしれない。

一九〇一年の官営八幡製鉄所の操業開始とともにまちづくりが始まったという歴史の浅い北九州に住むものにとって、下関は歴史の魅力にあふれた場所である。源平の合戦が行われた壇之浦、壇之浦の戦いで幼くして亡くなった安徳天皇を祀る赤間神宮（あかまじんぐう）、佐々木小次郎と宮本武蔵の決闘で知られる巌流島、武家屋敷が残る長府、高杉晋作の墓所がある東行庵（とうぎょうあん）などの散策はとても楽しい。下関に通勤しなくなった後も、私は国内外の友人が来ると海峡を越えて下関に連れて行く。海底を歩いて渡れる関門トンネル人道も、私の定番観光スポットである。

このような一体的な経済圏・生活圏ゆえに、両市は「関門の五連携」に取り組むという共同宣言を二〇〇七年に行った。五連携とは、市民交流、経済活動の連携、教育文化活動の連携、交通環境の連携、行政間の連携であり、これらを進めて将来は両市を「関門特別市」として合併させる可能性も視野に入れていた。さらに二〇〇八年には、私が現在勤務する北九州市立大学、九州共立大学、九州国際大学、西日本工業大学、下関市立大学、梅光学院大学という関門地域にある六つの大学が参加して「大学コンソーシアム関門」が設立された。翌年度から参加大学のいくつかで「関門学」が開講され、単位互換、共同授業、学生交流事業も話し合われた。

もっとも、少子高齢化による両市の人口減と経済の減速によって「関門の五連携」はそれほど進展しているとは言えない。大学コンソーシアムも、交通の便のあまりよくない場所に位置する大学もあるために学生は車がないと移動は難しいことと、参加六大学には文系の同じような学部学科があることから、単位互換や共同授業は見送られた。現在はいくつかの大学で関門地域に関する特別講義が主に夏季集中で開講され、学生は在籍する大学以外の講義を「特別聴講学生」として受講し、修得した単位は所属する大学で認定されている。

九州の玄関口・門司港駅（提供　北九州観光協会）

北九州市も下関市も深刻な少子高齢化に苦しんでいる。将来のさらなる人口減を見据えて、できるところから柔軟に「関門特別市」の実現に向けて進んでほしい。

（田村　慶子）

V　やまぐちを創ったボーダーレスな人々

人と自然のダイナミックな歴史の中で、地政的にも自然環境の面でも、一つの中心をもつのではなく、多様なモザイクをなしている山口県。その今日の姿を形作るにあたって、現在の県境の線にとらわれずに活躍してきた人々の歩みを追ってみたい。構成としては、歴史上の有名人＋無名人を組み合わせて、その縁の交わる場所を、訪問の目的地として提案する。筆者の直接聞いた語りを紹介したい。歴史上の人物像や事績を自分たちのつごうのいいように捻じ曲げることは、歴史の捏造であることを読者に感じとってもらいたい。

土井ヶ浜人と金関丈夫博士（下関市　土井ヶ浜遺跡・人類学ミュージアム、弥生時代）

ときは弥生時代、北浦の土井ヶ浜に渡来人たちの集落があった。墓に残された多くの人骨は、ずんぐりむっくりした当時の日本列島の先住民族に比べて、ほっそりして背が高く、頭骨の断面が長い人たちを含んでいた。東西一三〇メートル、南北七〇メートルの墓域は、長い間使われたようだ。一九次にわたる発掘調査の結果、おそらくふるさととの方角と思われる、今日の山東省のある西方に顔をむけて葬られた渡来人たち。その中に、あきらかに縄文人の特徴をもつ男性の骨も混じっていた。このようにして、縄文人と渡来人の遺伝子が混じり合って、その後の日本人が成立したというのが、九州大学・鳥取大学・山口県立医科大学（現在の山口大学医学部）等の教授を歴任した金関丈夫の先導した研究だった。のちに、埴原和郎が提示した二重構造モデルの背骨をなす発見だった。埴原の説は、日本列島の最初の居住者は後期旧石器時代に移動してきた東南アジア系の集団で、アイヌ、縄文人、琉球人はその子孫であること、弥生時代になって第二の移動の波が北アジアから押し寄せたため、これら二系統の集団は列島内で徐々に混血したことを骨子としている。この場所は、現在は下関市立「土井ヶ浜遺跡・人類学ミュージアム」として一般公開されている（四四頁地図）。

土井ヶ浜遺跡・人類学ミュージアム（提供　山口県観光連盟）

日本人の起源を考えるための重要な仮説の生まれた手がかりとなった遺跡や遺物に、発見の当時の姿そのままに足元で面会できる場所というのは、日本でもめずらしい。その中で、印象的なのは、おそらくシャーマンだったとされる「鵜を抱く女」は、福田百合子の文学作品『鵜を抱く女』にも古代のロマンを込めて取り上げられたが、最近の研究では、遺体の胸のあたりに散らばった鳥の骨のコラーゲンからＤＮＡを抽出して調べたら、この鳥の種類は、ウミウではなく、フクロウ科だったという新しい研究の結果がでている（江田ほか「『鵜を抱く女』が抱く鳥は何か？」）。金関丈夫は、弟子の一人で、後に梅光女学院大学の名物教授となる先史学者の國分直一らとともに、戦前戦後の台湾で民族文化の記録と保護のために活躍したヒューマンでボーダーレスな学者だった。山口県を訪ねるなら、北浦の土井ヶ浜の風に吹かれて、日本の島々へ移り住んだ、いにしえの人々の暮らしとそれを研究した先人たちに思いを馳せてみよう。

重源の伝承を受け継いだ赤木森さん
（山口市徳地　重源の郷、一三世紀）

「徳地での重源上人の足跡をご案内するためには、少なくとも丸三日間はかかります」。在野の民俗研究家であり、伝承を語り始めれば一〇時間でも止まらないという語り部でもあった、赤木森さんとの初対面の言葉だ。源平の戦いで焼け落ちた東大寺を徳地の材で再建し「入唐三度」と称した重源は、当時の国際的な貿易ネットワークの上に、現在で言えば、大人食堂とハローワークとオン・ザ・ジョブ・トレーニングの仕事場と心身のケアの機能を併せ持った地域の拠点施設の「別所」を日本の各地に創った。

赤木さんは、お会いした当時、茅葺き屋根の家々が並ぶ、テーマパーク「重源の郷」のなかの文化伝承館の館長であった。亡くなられるまでに、二日半ほどしかお話を聞くことができなかったが、八〇〇年以上も昔の鎌倉時代のことを、まるで昨日のことのように生き生きと再現するその語りには、圧倒されるほどの熱がこもっていた。同時代の文書に残された記録以外は信じないタイプの歴史家とは違って、地域に言い伝えられた、あふれるような伝承の泉を汲んだ赤木さんの語りは、現在のわれわれの暮らしとも結びついて、こころを潤してくれる。

重源上人は、出家して京都の醍醐寺に入り、この寺を修理しました。これは、村上源氏の菩提寺ですから、東大寺の再建の時には、周防の国から運んだ用材を、瀬戸内海で海賊に横取りされないように、（後の）村上水軍にも頼んだんですよ。重源上人は、神戸港、芦屋港、明石港の港の改修をみなやっています。

年に何回か、気候のいいときに瀬戸内海を筏で横断するわけです。瀬戸には船が沈んでいるので、その改修に、山で使ったのと匹敵する予算をかけていると思います。

重源は栄西と仲がよく、栄西が博多の筑前に誓願寺をつくったとき、すでに周防杣が九一本の木をきりだしています。

重源さんはそのことがちゃんと頭の中にあるんです。陳和卿という外国人が博多の港にはいったのを察知して、東大寺（とうだいじ）の火事で溶けた大仏の首のもげたのをなおすことを依頼するとか。高野山に引っ込んでいてもたちまち情報が入ってくるのは、聖（ひじり）集団を掌握していた重源さんの力でしょう。

奥州の金で大仏を鍍金（ときん）するための使者を引き受けたのが西行です。それでもいちおう頼朝にあって、承諾を得ています。

重源上人は大勧進（だいかんじん）であり、周防の国の国司ですから、なんでもできます。すべての資源が使えるわけです。自分の給料がないだけです。五戸からひとりずつ毎日出るという形で労働力も集めました。東大寺の再建という国家プロジェクトだったんですね。……

これらは、もちろん、残された文書の歴史的な研究の積み重ねに基づいてお話しされていたわけだが、徳地をくまなく歩いて、さまざまな伝承を聞き取った内容は、さらに貴重なものだった。重源自身が書き残した、彼が手掛けた建築物や仏像の記録の中では、徳地での記述はわずかなものだが、徳地の現地に立てば当時の人々からは超人としか見えなかったであろう聖の姿が生き生きとよみがえる。ある村で赤木さんから聞いた、重源にまつわると思われる伝承を紹介してみよう。大昔の伝承と思って聞いていると、現代までまっすぐにつながっているというのが、現場で聞く赤木さんの語りの特徴だった。

重源という人は、じっくり段取りを考えてから行動に移して、いざ行動に移したらもう止まらないという人でした。だから、徳地では、いまでも、じっと考え込んで行動が遅い人に「おい、何を重源しちょるんか？」とからかったりするんです。

昔むかし、暮れも押し詰まった雪の中を、この村へお坊さんが訪ねてきて村人たちに仕事を頼みました。伐採した大木を運ぶ人足として出てほしいというのです。村人たちは、寒くはあるし、危険な重労働でもありますから、断ってしまおうと思って、こう言いました。「申し訳ございません。私らのところでは、まだ正月のしめ飾りもしておりませんし、餅もついておりませんから、どうぞこらえてくださいませ。」ところが、「いやいや、出てさえもらえたら、これからはしめ飾りを飾らんでも、餅をつかんでも、幸せなすばらしい正月が迎えられるように、祈りあげてあげましょうぞ」と、お坊さんがいうんだそうです。仕方なく山仕事に出たそうですが、重源さんとしては、つもった雪を利用して、その上を滑らせて大木を運ぼうという考えだったんでしょう。無事に終わったあと、その当時からあった家では、正月といえども、しめ飾りや門松を飾らず、餅もつかないというしきたりになってしまったんです。普通の時には餅をついて食べてもいいんですが、正月だけはいけない、ということになっていました。……それから何百年かたった頃のこと、ある家の息子が、「うちの家だけ正月餅がない、そんな馬鹿なことがあるか」と言い出しました。親が必死に止めるのも聞かずに、かまどに火を起こし、せいろを羽釜に据えてもち米を蒸し始めたそうです。そうしたら、まだ米が蒸しあがらないうちに、上の方からまっかな鬼の手のようなものが降りてきて、この羽釜とせいろを掴みあげた、と思う間にそれが紅蓮の炎となって、屋根に燃え移り、家は丸焼けになってしまいました。その家のあとは、今も再建できずに、これ、この通り、空き地になっているんです……。

大木を切り出して運ぶという重労働で体を痛めた人たちのために、重源が建設したという、熱気浴の「石風呂」も、山口市徳地から防府市の東大寺別院・阿弥陀寺にかけて多数残っている。野谷の石風呂のように、人里離れた山の中にあるものもあることから、創建が重源の時代にさかのぼるものも確かにあるだろうと考えられている。

山口市徳地・岸見の石風呂

歴史文書が教えてくれるところによれば、重源が技術顧問として迎え入れた陳和卿のために割り当てた荘園が、現在山口県立大学のある宮野荘だったことなど、まだまだ語るべきことは多い。歴史家が「徳地は『重源汚染』されている」と嘆くほど、色濃く鎌倉時代の歴史伝承に染められた山口市徳地地区に行ったら、地元の特産品を扱うアンテナショップ「南大門」をまずはのぞいてみたい。よりディープな体験を望む方は、現在月一回おこなわれている岸見の石風呂の体験入浴ができないか、ネットで「岸見の石風呂」を探して問い合わせてみよう。

サビエルと泉類治神父（山口市　サビエル記念聖堂、一六世紀）

「私は、フランシスコ・サビエルの兄の家系の一五代目に当たります」。山口県立大学で、学生たちに混じって聴講した「スペイン語」の授業でのひとこまである。いまでは、来日六〇年を越え、日本国籍と日本名「泉類治」をもつ、ルイス・フォンテス神父は、自ら作成した長大な家系図を示しながら熱く語った。

私は、その翌年の二〇〇五年、サビエルの生まれたスペイン・ナバラ自治州の、ナバラ州立大学に交換教員として山口県から派遣され、四月から五ヶ月間、妻の安渓貴子とともに、山口市の姉妹都市である州都パンプローナ市に滞在した。パンプローナの町には、姉妹都市の看板が随所に掲げられ、日本式庭園をもつ五ヘクタールものヤマグチ公園があり、その近くにはヤマグチレストランや、サビエルが育ったハビエル城の近くには、ヤマグチホテルまでがあった。

ナバラ州立大学で交換教員向けのスペイン語特訓コースを

指導してくださったハビエル先生は、モルドバとパレスチナと日本からきた大学教員たちに「われらナバラ人は、みな聖フランシスコ・ハビエルの心をわが心として、あらゆるものごとに果敢に挑戦していくのです」と誇らしげに語った。

山口市は一二月には「クリスマス市」になる。それは、日本で初めてのクリスマスが祝われた場所だからというのである。サビエルと同じくバスク人で、イエズス会を率いたアルーペ神父の記事によれば、サビエルその人は、降誕祭の八日前には山口を発って京都へ旅行中だった。山口に残されたトレス神父と、日本語が堪能で助修士として通訳をつとめたフエルナンデスが、サビエルの留守に四〇人の日本人に洗礼を施したというので、その間にクリスマスを祝ったに違いない、という推定によるものらしい。

大内氏の支配する山口でサビエルが去ったあと布教にあたった、トレス神父とフェルナンデス助修士に対して、日本で初めてキリスト教の布教の許可が与えられた、とされている。山口市金古曽（かなこそ）にある、サビエル公園を訪ねてみよう。そこには、大道寺（だいどうじ）裁許状の写しが銅板で再現されている。

周防國吉敷郡山口縣大道寺事、從西域來朝之僧、爲佛法紹隆可創建彼寺家之由、任請望之旨、所令裁許之状如件、天文廿一年八月廿八日……。素直に読めば、西域から来た僧が仏法を広めるために、大道寺を使ってよろしい、と書かれている。サビエルがまだ山口に滞在していた時期の、大内義隆（おおうちよしたか）との面会のおりに、真言宗の僧が、当時は「大日（だいにち）」と訳していたサビエルの「創造主」について、いろいろ質問をしたあげく、それなら真言宗と違わないといって感心する場面を、あとに引用するようにアルーペ神父は描いている。ポルトガルのインド総督からの手紙を持参したサビエルらが、当初はてっきり天竺からの新手の仏教の宗派の一つと誤解されたというのが、真相に近いらしい。サビエルのゴアから鹿児島までの旅を導いた、パウロこと、薩摩人アンジロウが、説教のための文章を日本語に訳すにあたって、仏教用語を使ったことなどについては、少ないながらも同時代の資料を駆使した岸野久（きしのひさし）の研究が参考になる。

大内義隆との会見のあとのサビエルのようすを、アルーペ神父の筆によって追ってみる（「キリスト教伝来四百年記念特集」）。ここでは、サビエルはサヴェリオと書かれている。

霊父は降誕祭を迎える八日前に、二人の同行者を伴つて都への旅路についた。その第一行程としては日本の国内をよく識るために、山越しの陸路に依つた。雪が深くて、所によつてはそれが膝以上に達した。また氷のように冷い河を徒渉（としょう）しなければならなかつたこともしばしばであつたが、水は膝を浸し、時には帯にまで達した。従つてサヴェリオは跣（はだし）で歩くことが多く、日が暮れて旅宿に着くと、足から血が吹き出ていた。夜の寒さは格別ひどいので、それを防ぐために、霊父は畳を取つて自分の身体の上に置いたことすらあつた。何しろ霊父とフェルナンデス修士との二人に、一枚の古毛布しか無かつたからである。このような辛苦艱難を極めた山越しの旅を数日つづけ、氷上、長野、宮市、富海、戸田市、福川、徳山、櫛ヶ浜、下松、玖珂、岩国、を経て宮島へ出た。そこから渡し舟に乗り、堺に向つた。……（中略）

国王による日本布教許可の期待をこめて京都に到着したサビエルは、戦乱に荒れ果てた都の崩れかけた屋敷に住む天皇には、何の権力も権威もなく、贈り物なしには面会もできないことを知った。失望したサビエルは、都へ到着してから十一日の後には、山口に戻ることにした。

霊父は直ちに計画をすつかり改めた。山口には国王よりも有力な大名がいる。そこへ訪ねてゆくことにした。但し日本人にはまだ十字架の清貧が解らないのであるから、今度は貧乏な修道者としてゞはなく、推薦状や贈物を持ち、修交の使節としての威容を整えて行くつもりである。そこで三人は堺から乗船して更に西に下り、三月の始めに四ヶ月半不在にした平戸に帰つて来た。

トレス神父はその間、無為に日を送つていたわけではなかつた。四十人の日本人に洗礼を施したのである。平戸に帰つた霊父は多数の贈物を船に積み、フェルナンデス修士やベルナルド等と共に山口へ出発した。四月の終り頃、今度はポルトガル人等が寄贈してくれた上等の着物を着用して、駄馬に荷物を積み、印度総督の使節という資格で、再び大内氏の居城を訪れ、謁を願い出た。それが許されたので、霊父は羊皮紙に美しく書かれた二つの手紙を候に渡した。一つはゴアの司教からのものであり、他の一つは印度総督からのものであつた。それから霊父は総数十三箇に上る高価な贈物を差出した。

その中には日本人が未だ曽て見たことのないものが多かつた。例えば、大きな箱の中に精巧なゼンマイ仕掛が入つていて、それが規則正しく十二部に分れ、正確に昼と夜とを示すもの（時計）、一つの機械に十二の絃があつて、別に手で、かき鳴らさなくとも五週期に十二の音を出すもの（音楽時計）、二つのガラスがはめ込まれてあつて、それを用いると、老人が若い者と同じように、物を明瞭に見る事ができるもの（眼鏡）、平滑な品物でそこには少しの影もなく、顔が映るもの（鏡）、贅沢に装飾され、三つの銃身を有する火縄銃、非常に美麗な水晶ガラス数個、緞子製品、ポルトガルの葡萄酒、書籍、絵画、コーヒー茶碗などであつた。

義隆は親書にも、贈物にも非常に満足した。その返礼として数々の品物を取り揃え、それに小判や大判をそえて霊父に応えようとした。しかし霊父は厚く礼を述べただけで、それらの凡てを固く辞した。その代りに只一つの好意を願つた。それは山口でキリスト教を布教し、信者をつくることの許可であつた。

候はこの願いを喜んで聴き入れ、直ちに町に布告し、この新しい掟の宣教と、それに帰信することを許可する旨明示し、家臣などに対しては霊父に危害を加えてはならないと命令した。更に候は霊父等の住居として、無住の寺を与え、贈物に対する返礼として、坊さんか又は俗人を印度に送りたいという希望を述べた。義隆の布令が出てからはこの外国の説教家達は、今迄と全くちがつた目で見られるようになつた。……

霊父が義隆から第二回目の謁見を許された時、候の側を決して離れることのない真言宗の坊さんの一人が、霊父の説く「万物の創造主」たる神について数々の質問をし、この神には形や色があるかと訊ねた。霊父は神には形もなく、何等の色もない、純然たる実体であつて、凡ゆるものの創造主であるから、それらのものとは別のものであると説明した。するとその坊さんは、更にこの神はどこから来たのかと尋ねた。そこで霊父は、自分自身から出たのであつて、万物の原理であるが故に、無限の力を有し無限に智であり、善であり、始めもなければ終もないと答えた。坊さん達はこの答に満足したらしく、霊父に向つて、言葉や衣服こそ違つているけれども、教義の内容に至つては真言宗と同じであると云つた。……

鹿児島と山口でのサビエルの宣教のあと、キリシタン大名なども生まれ、順調に広まっていったキリスト教は、しかし、江戸時代に入ると、きびしく禁止されるようになった。一部の信者は潜伏キリシタンとなって信仰を続けた。萩市むつみの紫福地区には「キリシタン祈念地・至福の里」がある。ここは、散在していた潜伏キリシタンの墓を集め、一九九九年に整備された。萩市堀内の「萩キリシタン殉教者記念公園」には、毛利輝元の時代の萩城建設のおりの殉教者と、明治に入ってからの長崎浦上からの流刑者が祀られている。幕末から明治はじめにかけての、長崎での大規模なキリシタン摘発「浦上四番崩れ」では、長州閥を中心とする明治政府は、明治に入ってもキリスト教禁教の立場を続け、キリシタンたちを、西日本各地に流刑とした。一五三人のキリシタンが、過酷な迫害・拷問を受け、三七人が殉教した津和野の乙女峠は、世界のカトリック信者の聖地になっていて、毎年五月三日には、数千人のカトリック信者が集まる乙女峠祭りが行われている。山口市のサビエル記念聖堂だけでなく、萩や津和野を訪ねる際には、訪れてみたい場所である。

サビエル記念聖堂（提供　山口県観光連盟）

松陰先生と真宗僧たち（萩市　野山獄跡、一九世紀）

やまぐちでは、吉田松陰などと呼び捨てにすると品格を疑われる。すべからく松陰先生と呼ばねばならない。その松陰先生に子どもの頃出会った体験談がある。周防大島東部を故郷として、生涯に一六万キロを歩いた民俗学者の宮本常一は、昭和一〇年、郷里で幕末の戦物語を聞いてまわった。その中で語られた生々しい話である。

矢田部宗吉翁もこの戦に参加した一人である。翁は大島郡小松町の医家杉原家に生まれ、のち矢田部家を嗣いだ人である。杉原家は代々医を業としたので、翁もわずか一二歳にして修行のため萩に出た。……翁は松陰先生の門に入った。先生はまるで気狂いのような人であった。講義中弟子どもの議論の激することがあって納まりがつかなくなると「斬れ。」とどなるように言われた。すると白刃を柱に斬りつけて議論をやめた。そういう時、年少の翁は胸の動悸がとまらなかったという。しかるに入門してわずかに一週間、先生は野山の獄につながれ、やがて江戸に送られて斬られた（宮本常一『古老の人生を聞く』）。

今では、松門神社に祀られて神となっている「弟子ども」は、先生の江戸への籠を見送ると、別れの涙松から、松下村塾にかけもどり、一斉に刀を抜いて柱に切りつけた。今もその跡が残っているが、そのとき、弟子たちの耳には、先生の「斬れ！」の叫びが響いていたにちがいない。

松陰先生が、弟子たちに説教を聞くことを勧めた、柳井市遠崎の僧月性。彼は、西本願寺の宗主の指示で著した、後に「仏法護国論」として知られるようになる著作を通して、海に囲まれた日本を守ることの重要性を指摘して「海防僧」と呼ばれるようになった。月性が、海防の必要を強く意識したきっかけは、長崎の出島に行って、そこに入港していたオランダ商船に乗船したとき、その船が大砲で武装していたことに驚き、軍艦はどれほどの威力があるかを想像したことにあったという。

文通を通して、松陰先生に倒幕論を説きつけた広島県呉市広長浜の真宗僧・宇都宮黙霖は、月性と並んで、松陰神社の展示館の蝋人形になっている。彼らに続く真宗僧は、長州四傑とも呼ばれる、香川葆晃（周南市政所）、島地黙雷（山口市徳地島地）・大洲鉄然（周防大島町久賀、第二奇兵隊隊長）・赤松連城（周南市徳山）だった。彼らは、奇兵隊の一員としても協力して四境戦争で活躍した。

このなかの香川葆晃は、新潟に生まれて、会津と京都の西本願寺で学問の修行をしたが、おりから勤王の志士と交わっていたところ、幕府の手で捕らえられて京都六角通の獄に入れられた。脱獄して、当時朝敵と呼ばれた長州の萩に逃れた。一八六五（慶応元）年九月

萩の野山獄跡（提供　山口県観光連盟）

の『奇兵隊日記』には、長州藩の密偵として、僧宗淵とともに、四境戦争前夜の京・大坂の情勢を探索した報告が載っている。現在山口県公文書館に残されている毛利家文書によると、同年一二月、防長二国の真宗八〇〇寺院が総力をあげて、長州軍に加勢したいという嘆願書を宗淵と葆晃は提出した。一八六八（慶応四＝明治元）年二月、葆晃は、藩士の勧めによって長州藩南部最大の、末寺が一三〇もあった善宗寺の住職になるのだが、これは、来たるべき幕府軍との戦いでの司令官的な役割を期待された結果だったかもしれない。

明治に入ってからは、長州四傑は協力して京都の本山を改革し、西本願寺の議会や寺法を作るなどの働きをした。長州閥の明治の元勲たちはみな戦友でもあったから、その絆で廃仏毀釈の嵐を止めた。そして、本願寺の改革は、帝国議会や帝国憲法の基本設計にもつながったのである。

この葆晃と毛利家一門の家老職・宍戸潤平の娘との間に生まれたのが、筆者の祖母であったので、筆者の手元に残された葆晃の辞令や戸籍などからその事績を調べていると、新選組などが闊歩していた幕末維新の時代が、急に身近なものと感じられるようになってきたのである。大河ドラマなどでは、すっかり忘れられているが、国境を意識した月性の薫陶を受けた坊さんたちが刀を振り回したり、命がけのスパイ活動をしたりしていた、こうした歴史を無視して、萩中心、武士主体にだけ幕末維新を語るのはそろそろやめにしたい。

宮本常一の一喝と原発いらない女たち
（マルゴト・上関まるごと博物館、二一世紀）

宮本常一は、一九八〇年に亡くなる直前まで、周防大島郷土大学の設立に心をくだき、帰郷するたびに若者たちにふるさとを深く学ぶことの意味を語った。以下は、筆者とほぼ同じ年齢の、当時二三歳ぐらいだった男性の語る思い出話である。

宮本先生に「原子力発電所とかいうものを誘致すれば、これまで見たこともないような、途方もない大きなお金が入るということを聞いたのですが……」とご相談してみたことがあるんです。すると、日頃温厚な先生が、まあ、びっくりするような大きな声をあげて「馬鹿なことを考えるなあ！」と一喝されたんです。そんなこともあって、周防大島の原発計画は前に進まなかったですね。

この当時、宮本常一が書いた文章では、漁師が海を売って金をもらうことは、タコが自分の足を食うようなものであり、漁業権がなくなり、環境破壊に怒って海を守ってきた漁師を失った海は、醤油のような色に汚染されている、と警告を発している。

工場の資本が地元のものでない限りは工場自身もしょせん他所者であり、利潤は事業主体に吸収され、地元住民は工場の雇用者として隷属を強要されたにすぎない。瀬戸内海のよごれのごときも他所者資本の無責任さがそのような現象を生み出していったのである。いわば今日の開発は資本によって国内植民地をつくっていき、地域住民はこれに隷属せざるを得なくなりつつある。このことに対して住民の抵抗は当然起こっていい。だが地域住民に荷担するものは少ない。地域住民の抵抗がどのように困難なものであるかは水俣病患者たちの運動の中に読み取ることができる（宮本常一「抵抗の場としての地域社会」）。

上関での四〇年におよぶ原発反対運動の中核を担ってきた祝島の人々。ここは、万葉の時代から知られた、瀬戸内海の船の目印だが、今から一一〇〇年も昔のこと、国東半島の集落・伊美の一行が、京都石清水八幡宮への参詣の帰りに嵐にあったところを、祝島の人に助けられた。そのお礼として、五穀の種子を授けたので、祝島の人たちは、毎年「お種戻し」として、伊美神社への参拝を欠かさず、数年に一度（現在はオリンピックの年）、伊美から神官を迎えて、盛大な神舞を催すようになった。江戸時代の長州藩の境界を越えるこの祭は、藩の咎めを受けたが、その古い由緒を説明して、越境が認められたと伝えられている。

上関まるごと博物館の入口（マルゴトのウェブサイトから）

戦前戦後、海の荒れる冬場の出稼ぎとして、杜氏として酒造りに携わるのが、祝島の習慣だった。一九三一（昭和六）年に、学校の敷地を造成したときの寄付は、樺太の豊原町（現ユジノサハリンスク）の酒造場や、北米、ハワイからも寄せられたことが、いまも校庭に立つ浄財寄付の石碑によってわかる。

戦後も出稼ぎは続き、宇部の炭坑、周南のコンビナート、さらには原発の作業員としても働いた。福島第一原発の中で働いて仲間の多くをガンで失った、磯辺一男さんは、自分の経験した原発の被爆労働の現場と、電力会社の流す安全神話の違いから「だまされるな！」と言い続けることで、反対運動の支えの一つとなった。小さな祝島の人々が、県境をはるかにこえた、多様なフロンティアに立っていた経験が、四〇年以上にわたって、生活と生産の場としての美しい海を守り、原発を建てさせない運動を続けてきた原動力となっているのである。

この生物多様性の宝庫の「奇跡の海」にも、そして世界のどこにも原発はいらない、ということを粘りづよく取り組んできた、三浦翠（原発いらん！山口ネットワーク）、高島美登里（上関の自然を守る会）などの山口県民の活躍によって、上関原発の予定地とされる上関町長島田ノ浦の海は、いまも美しいままに守られている（コラム「山口県の希少生物」参照）。きれいなままで守れた海と陸の恵みに感謝しながら、地域をまるごとフィールド・ミュージアムとして活かすための拠点施設が、古民家を改装した「マルゴト」である。ここに泊まって、地元の漁師の船に乗り、この海域を巡ってみるというエコツアーは、過密の「限界都市」に住む人たちにとっても、やまぐちの底力にふれることのできる得難い体験になるだろう。

（安渓 遊地）

■参考文献

・アルーペ、ペトロ「キリスト教伝来四百年記念特集——フランシスコ・デ・サヴェリオ」『カトリックダイジェスト』二巻八号、一九四九年
・安渓遊地・安渓貴子「重源上人から山頭火まで——徳地町の語り部・赤木森さん大いに語る」『山口県立大学国際文化部紀要』一一巻、二〇〇五年
・安渓遊地編『続やまぐちは日本一——女たちの挑戦』弦書房、二〇〇六年
・安渓遊地・井竿富雄編『東アジアにきらめく——長州山口の遺産・自然と文化の再発見』東洋図書出版、二〇一七年
・安渓遊地監修・溝手朝子ほか編『地中海食と和食の出会い——バスク人サビエルと大内氏の遺産を生かして』南方新社、二〇一九年
・江田真毅・川上和人「『鵜を抱く女』が抱く鳥は何か?——コラーゲンタンパクによる遺跡出土鳥類骨の同定」科研費二〇一八年度実績報告書、二〇一九年
・金関丈夫「山口県豊浦郡豊北町土井ヶ浜遺跡出土 弥生式時代人頭骨について」『人類学研究』七号、一九六〇年
・岸野久『ザビエルと日本——キリシタン開教期の研究』吉川弘文館、一九九八年
・埴原和郎「二重構造モデル——日本人集団の形成に関わる一仮説」*Anthropological Science* 一〇二巻五号、一九九四年
・福田百合子『鵜を抱く女』毎日新聞社、一九八九年
・宮本常一「抵抗の場としての地域社会」『朝日ジャーナル』昭和四八年一月一九日号、一九七三年
・宮本常一『古老の人生を聞く』宮本常一ふるさと選書第一集、みずのわ出版、二〇二一年

津和野からみたやまぐち

山口県は本州の西の端、県外には、福岡市一六〇万人や広島市一二〇万人といった人口一〇〇万人を越す大都市（北九州市九四万人）があるが、県内には、中心となる大きな都会はなく、下関市の二五・一万人が最大で、他は二〇万人に満たない市町が散在している。

筆者は現在、島根県の津和野町から一〇キロほどの山口市阿東徳佐の中国山地山麓に暮らしているが、コロナ禍のなかでも、県境を越えての行き来はごく日常的で、交通が発達する以前にはむしろもっと盛んだったことが記憶されている。

筆者の母は、一九三四年から一九三八年に父親（筆者の祖父）が旧制津和野中学の校長を勤めたため、津和野藩の筆頭庄屋であった彌重邸を借りて、家族七人で暮らしていた。年老いてから山口を訪ねた母と、今は杜塾美術館として一般に公開されている、かつて住んだ住宅の二階にあがってみたところ「ここに隠し窓があって下で奉公人が何をしているかが見えるでしょう」という母といっしょに覗いてみた。そこは台所で、石畳に井戸があり、ここで私の祖母が漬物を漬けたりしたことを話してくれた。津和野は土地が狭いので、山口県側の徳佐の農家が津和野の町に徳佐ウリや大根を売りに来ていて、それを買って、ウリの粕漬けや沢庵漬けを一年分漬けていたという。祖母は、結婚までは先生をしていて、祖父はテニスをする祖母の姿を見初めたというが、料理も上手で、五人の子どもを育てながら漬物をする着物姿のきりりとした祖母を想像した。また母が猩紅熱にかかったときには、弟とともに津和野から県境を越えて山口の日赤病院に入院したという。このように一九二二（大正一一）年に現在の山口線が開通したあとの津和野での日常は山口と結ばれたものであり、現在も、山口県観光協会では津和野を観光キャンペーンの目的地に入れている。

母の弟である筆者の叔父から、一九三〇年代の津和野での様子を語る手紙が届いたので引用しよう。

> 小学校に入る一年前から三年生までの思い出。朝、徳佐から野菜を荷車に積んで売りに来ていました。野坂峠を越えて津和野へ。名産の瓜を買って漬けた奈良漬けの甕。沢山の大根を買って干して漬けた石の載った樽が、今の杜塾美術館台所土間、酒米を炊く大釜のかまどの横、四角な井戸の西北のうす暗い隅にあったことを思い出しました。当時津和野にあった自動車は二軒の酒屋の小型トラック二台だけで、荷物運搬は馬車、医者は人力車で往診していました。私たちは道路に落ちている馬糞を集めて家庭菜園の畠に入れていました。

逆に徳佐からみた津和野はどんな位置づけだったのだろう。徳佐で生まれ育ち、わが家の有機農業の師匠でもある吉松敬祐さんにうかがうと、鉄道開通以前からあった津和野をはじめとする島根県と山口県側の阿東徳佐との濃い関係の話が生き生きと語られた。

そうだよ、ここ宇津根の人たちもよく津和野にウリなどの野菜や、津和野は製紙が盛んだったから、楮・ミツマタの苗なんかを売りに行って稼いだものだよ。そこのため池の横の道をあがって垰をこえて津和野に出る「道元道」を通れば、津和野まで歩いて子どもの足でも四〇分くらいで行けるから、お祭りにもよくでかけたものだった。

昔は今と違って、津和野城の宇津根に近い鷲原八幡宮や、今は道の駅がある側が町の中心だったから、今よりも町なかには近かった。

津和野で売った帰りには、肥たごに津和野の下肥を入れたものを二つ、天秤で担いで垰を越えて戻ってくる。津和野は町だったから、食べ物がいい。ここらへんの人はあまり魚など食べていないから、「津和野の肥やしをかけると野菜がようできる」と、うちの婆さんも言っていた。金肥が出まわる戦後までは、肥料といったら家畜の糞か下肥だったから、津和野との関係は大事なものだったよ。

桶一つが一斗だから、天秤棒一本で四〇キロちかく担いだ。行くときには、桶の中に売りたいもの、ウリとか大根とかを入れていったわけだ。

津和野の太鼓谷稲成神社（提供　山口県観光連盟）

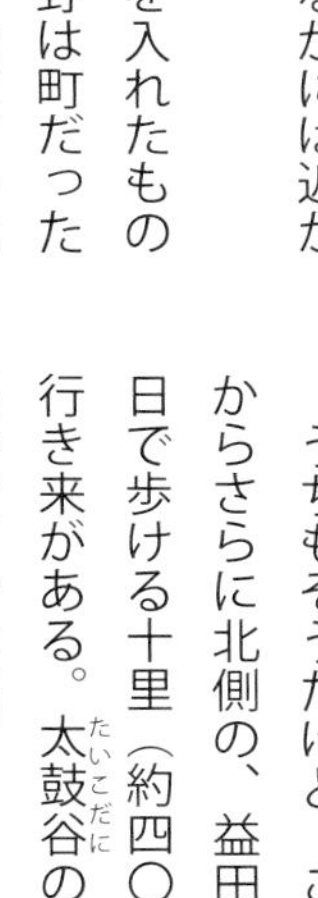

炭俵は一つが一五キロあるから三俵を積んで四五キロ、このぐらいは、子どもでもしょいこで背中に担いで出したもんよ。大人なら六〇から九〇キロは担いだでしょう。子どもが津和野への運搬を手伝うときは、父親は朝早く、まず子どもの分の荷物を担いで垰まで持っていっておいて、戻ってからこんどは子どもと一緒に自分の荷物を担いで垰まで上り、そこから子どもにも峠に置いた荷物を担がせて津和野に降りていった。

うちもそうだけど、ここの人々は島根県に親戚が多い。津和野からさらに北側の、益田市の南の方まで、鉄道が通う前から、一日で歩ける十里（約四〇キロ）の範囲から嫁や婿をもらうなどの行き来がある。太鼓谷のお稲成様の祭りも買い物もみな津和野に出かけていたよ。

津和野は近いし、津和野からさらに日本海側の田万川（現萩市）までの道がよくて、そもそもこのあたりの人が「海」と言ったら田万川の江崎漁港を指したものだった。おだやかないい漁港で、魚もここから来ていた。山口線が通ってからは、それまでは主に津和野を中心にしていた流通の経路がずいぶん変わった。

（安渓貴子）

萩の夏みかんと徳佐のりんご

南国のみかんと、北国のイメージのあるりんごの両方が名産になっている山口県。萩の夏みかんは海に漂着した種子から。徳佐りんごは、朝鮮でりんご農家だった友清氏が、戦後の引揚げの後、あらたな産地を作ったもので、いずれもボーダーを越えて山口県に定着したものだった。

山口県の県花が夏みかんで、県道のガードレールは「夏みかん色」に塗装されていることをご存知だろうか。また、萩といえば「夏みかんと土塀」のイメージが浮かぶほど、夏みかんは萩と深く結びついた果実だ。学名は*Citrus natudaidai* HAYATAといい、図鑑の標準和名はナツダイダイである。

夏みかんの実を収穫しなければ、前年の実と今年の実が同じ木になることから「夏代々」とも記し、萩では当初、橙または夏橙と呼んでいたが、一八八四（明治一七）年、大阪方面に出荷するとき大阪の仲買商人から、名称を「夏蜜柑」に変えるよう勧められたのがきっかけで、夏蜜柑という呼び名が普及した。

萩の土塀と夏みかん（提供　山口県観光連盟）

およそ三〇〇年前、長門市青海島の大日比の海岸に流れ着いた蜜柑の種を、西本チョウが蒔いて育てたのが山口県の夏みかんの始まりである。この原木は昭和二年に国の「史跡及び天然記念物」に指定。大きなこの実は「宇樹橘」「ばけもの」「ばけだいだい」などと呼んだ。

およそ二〇〇年前に、萩の楢崎十郎兵衛が大日比の知人から数個の実を贈られ種を蒔いた。さらに一八三三年に萩の杉彦右衛門が、大日比の苗を児玉惣兵衛にわけ与え育てたことから、萩では児玉蜜柑とも呼ばれた。児玉家が、みかんの季節ではない夏に一三代藩主の毛利敬親公に献上したところ喜ばれたことから、御前九年母や夏九年母とも呼ばれるようになった。

『聞き書 山口の食事』（二八五頁）を見ると、昭和の始め頃には萩の城下町の屋敷内は柑橘だけでも夏だいだい、酢だいだい、ゆずきち（宇樹橘）、くねんぼが植えられて食卓を賑わしていたことがわかる（ここでは、宇樹橘が、夏みかんではない、もっと実の小さい品種の名とされている）。

夏みかんが萩の特産物となったのは、小倉県（現在の福岡県）の県令（県知事）であった小幡高政の働きである。彼は、故郷の萩に帰り、藩からの禄を失い零落した生活を送る旧藩士を見て、困窮から救うために会社を設立し、夏みかんの苗木を配って、栽培を勧めた。彼が明治二三年に建てた石碑には「当時、萩で夏みかんを作るものはほとんどおらず、人は私が夏みかんを植えるのを疑いの目で見たり、あざ笑ったりした」という意味のこと書かれている。しかし一〇年後には、夏みかんの木は萩の屋敷町を埋め尽すまで育ち、萩の特産物として北九州・広島・大阪、さらに東京へも出荷されるようになった。

やがて萩だけでなく他の地域でもつくるようになり、低迷した時期もあったが、工夫を重ねて戦後の昭和四〇年代に生産のピークを迎える。しかし、一九七〇（昭和四五）年のグレープフルーツの自由化を境に夏みかんの価格が低迷するようになり、甘夏みかん・八朔・ネーブルオレンジ等に品種を更新してきたが、輸入果実の氾濫や、消費者に好まれる甘くて食べやすい新品種柑橘の登場などで産地が徐々に縮小してきた。

夏みかんは、現在の山口では限られた時季に萩に出向かないと手に入らない。夏みかんの造り手が減り絶滅の可能性も出てきたので、二〇〇九（平成二一）年に萩・夏みかん再生地域協議会が設立され、夏みかん再生への施設として「萩夏みかんセンター」を造り、夏みかんを作る人の研修の場として、消費者にも夏みかんに関する情報を発信している。

徳佐のりんご

次に、徳佐のりんごの由来を語ろう。山口線の鍋倉駅・徳佐駅一帯には、二〇あまりのリンゴ園が分布する。山口市阿東徳佐は、高度三〇〇メートルを越え、年平均気温が一三度、降水量一九五〇ミリ、年によるがここ一〇年間でも五〇センチを越える積雪がみられる高冷地である。

徳佐りんご園の創設者の友清隆男（ともきよたかお）は、一九一〇（明治四三）年、当時の植民地・朝鮮で生まれた。慶尚南道蔚山（キョンサンナンドウルサン）で父親の経営する果樹園の手伝いをしながら果樹園について学んだ。敗戦と同時に本籍のある山口県防府市に引揚げた。しかし、りんご栽培への思いは断ち難く、山口県内の気象データを集め、長野県飯田市の気象と近い阿東徳佐でりんご栽培を始めた。りんご栽培に適した自然条件、国道や鉄道の沿線で流通に便利な地として三ケ所選んだ候補地の中から、最良の地として選んだのがこの阿東徳佐だった。徳佐の鍋倉に入植し、一九四九（昭和二四）年には初めてのりんごが実を結んだ。萩の夏みかんと同じく、地元に受け入れられるまでは、色々と苦労があった。二代目達一郎がまだ子どもだった頃、りんご園の息子ということで嫌がらせも受けたという。しかし今ではりんご農家がふえて、高原の徳佐りんごは阿東米と並ぶこの地域の二大特産品となっている。

（安渓　貴子）

■参考文献

・萩・夏みかん再生地域協議会「萩夏みかん物語」
https://www.city.hagi.lg.jp/soshiki/45/518.html
・ジョナサンのブログ・山口県の阿東徳佐でリンゴ園を開拓した人
https://ameblo.jp/agawahosoiiouan144000/entry-12077990081.html
・中山清次ほか編『聞き書 山口の食事』農山漁村文化協会、一九八九年

山口県の希少生物

スナメリ、カンムリウミスズメ、アブサンショウウオ、ミヤマウメモドキ。これらは、山口県の希少生物の一部である。これらの生物を守ることが、乱開発を止めることを意味するという、山口県の生物多様性の歴史を掘り起こしてみよう。

山口県の開発の歴史は古い。奈良・平安の時代から、山口市鋳銭司(すぜんじ)には銅銭鋳造所があり、美祢市美東町(みねしみとうちょう)の地名、長登(ながのぼり)は「奈良登り」の意味と伝承され、銅銭や大仏鋳造に用いた日本最古の銅山跡がある。県北部にはわずかにたたら製鉄跡もある。鎌倉時代には、重源上人による東大寺再建のために、徳地からの用材伐採も行われた。しかし、瀬戸内海の干拓事業を除いて、大きな自然の改変は行われず、一八世紀からの塩田開発も、瀬戸内海の多くの地域とは異なり、宇部の石炭を燃料として利用することで森林の大規模破壊を伴わないものだった。

現在の瀬戸内海の多くは、干潟が埋められ砂堆(さたい)が壊されて、干潟の生き物が失われている。しかし、瀬戸内海の西部、山口県と四国・九州の間に広がる周防灘、伊予灘、豊後水道には、かつての瀬戸内海全域にはあたりまえにいた生き物たちが今も生き残っている。日本列島周辺海域の固有種・海鳥カンムリウミスズメが子連れで観察されるし、清浄な砂堆に棲むナメクジウオ、体長が一・五から二メートルの世界最小の鯨スナメリは、ここで繁殖・子育てもしている。ハマグリやアオギスなど、昔は潮干狩りや釣りで親しまれ、今は絶滅危惧となった生物が、周防灘には生き延びている。ここは生物たちの楽園「奇跡の海」である。陸域も豊かで、例えば、上関町の長島(ながしま)は、有人島としては瀬戸内海でも護岸がされてない海辺が多い稀な島で、六月から九月には山中から降りてくるたくさんのアカテガニの産卵を海辺で見ることができる。

この長島の南端の田ノ浦海岸に、中国電力による上関原子力発電所計画が約四〇年前に浮上したが、粘り強い反対運動によって未だ建てられていない。この原発計画は日本で初めて国でなく地元山口県で環境アセスメントが行われ、筆者も県の審議会委員として参加した。一九九八年、環境アセスメント法施行直前の「かけこみアセス」に対して、「予定地の生物多様性が高いことに見合った科学的な調査をすべき」という山口県知事意見が提出された。電力会社は、この調査不十分という判断に対して、やはり不十分な「追加調査」で対応して手続きを終了させてしまった。

この経過に対して、日本生態学会をはじめとする多くの学会の研究者が、独自の調査を実施して、ここが日本に残された「奇跡の海」というべき重要な海域であることを明らかにした。

瀬戸内臨海工業地帯にあ

下関市海響館のスナメリ（提供　山口県観光連盟）

りながら、山口県は「宇部方式」という環境配慮を宇部地域や周南地域で自治体が主体的に行ってきたという歴史や、伊予灘からの黒潮の流れ込みもあって、瀬戸内海地域の中では、山口の海と陸地は人間活動と自然環境の共存が保たれてきたのである。

最近になって、日本海に面した萩市と阿武町の山地に、巨大風車の風力発電所の計画が提示された。予定地には、湿地林に遺存する日本固有種のミヤマウメモドキという灌木の日本の南西端の分布地がある。分布域の一部分を、山口県は自然記念物に指定している。環境アセスメントのなかで、山口県の記念物指定地はぎりぎり外されたが、湿地林の上部は風力発電予定地であり、環境アセスメントが方法書の段階にすすんでも、風車の位置や工事の取り付け道路の位置などが明らかにされていない。

この予定地で地元住民によって貴重種アブサンショウウオが見つかった。二〇一九年には、従来カスミサンショウウオとされていたものが再検討によって九種に分けられて、新種アブサンショウウオとされ、分布が山口県の阿武町、山口市阿東と島根県西部に限られた。これは県指定の絶滅危惧Ⅱ類、環境省指定の絶滅危惧ⅠB類である。きれいな水が湧く湿地環境に生活する生物で、ここでも住民から保護の要望書が出されている。

よく残されてきた山口県の自然と人間活動のバランスを大きく壊す動きは、ほとんどが県外からやってくる。東アジアにおける地政学的な位置による、戦後すぐの秋吉台の米軍射爆場計画、米軍岩国基地（Ⅲ章参照）や、二〇一八年に萩市むつみ・阿武町と秋田県に降って湧いた、主にグアムとハワイの米軍基地を守る「太平洋の楯」としての陸上配備型イージス・システムと、県外資本による電力開発がその典型としてあげられる。

もともと小規模分散型の、地域の発電事業であった山口県電気局は、一九二四（大正一二）年に発足し、当時は全国でも最大規模の公営電気事業者だった。その後の合併で広島に本社のある今日の中国電力に吸収された。山口県は大都市がないことから、必要な電力量は多くない。瀬戸内海の工業地帯の企業は自家発電が多い。にもかかわらず、上関原発や、最近では巨大風車が先に述べた萩市・阿武町の山地、さらに別の地域にも、また洋上にも次々と計画され、住民の足元の環境が脅かされている。そういった場所は、人と自然が持続的にかかわってきた里山・里海であることが多い。

（安渓 貴子）

■参考文献

・日本生態学会上関要望書アフターケア委員会編『奇跡の海――瀬戸内海・上関の生物多様性』南方新社、二〇一〇年
・守政恭輝『公害防止にかけた半生――産・官・学・民の協働による「宇部方式」の実践』東洋図書出版、二〇一五年
・安渓貴子・村田源「日本固有種ミヤマウメモドキ *Ilex nipponica* Makino（モチノキ科）の山口県内群生地の現状」『植物地理・分類の研究』五三巻、二〇〇五年
・Matsui et.al, Systematics of the Widely Distributed Japanese Clouded Salamander, *Hynobius nebulosus* (Amphibia: Caudata: Hynobiidae), and Its Closest Relatives. *Current Herpetology* 38(1). 2019.
・イージスふあんクラブ・山口『イージスふあんクラブ通信』二〇一八年 http://ankei.jp/yuji/?n=2345
・小澤太郎「秋吉台の米軍基地化を阻止」『風雪――記憶に残る回想』私家版（小澤克介発行）、二〇一一年

執筆者一覧

井竿 富雄：山口県立大学国際文化学部教授　専門は日本政治外交史

纐纈 厚　：山口大学名誉教授　現在は明治大学国際武器移転史研究所客員研究員
　　　　　専門は日本近現代政治軍事史

久保 伸子：(公財) 下関市文化振興財団　下関市生涯学習プラザ館長
　　　　　専門は下関と日韓関係史

安渓 遊地：山口県立大学名誉教授　専門は人類学

岩下 明裕：北海道大学スラブ・ユーラシア研究センター教授
　　　　　専門はボーダースタディーズ（境界研究・国境学）

コラム

岩野 雅子　：山口県立大学副学長
水谷 由美子：山口県立大学名誉教授
岩田 啓靖　：大寧寺住職　山口県立大学元学長
田村 慶子　：北九州市立大学名誉教授　NPO 法人国境地域研究センター理事長
安渓 貴子　：生物文化多様性研究所　山口県立大学非常勤講師

ブックレット・ボーダーズ　No.10

知られざる境界地域　やまぐち

2023 年 9 月 25 日　第 1 刷発行

編著者　井 竿 富 雄
発行者　田 村 慶 子

発行所　特定非営利活動法人 国境地域研究センター
〒460-0013　名古屋市中区上前津2丁目3番2号　第一木村ビル302号
tel 050-3736-6929　fax 052-308-6929
http://borderlands.or.jp/　info@borderlands.or.jp

発売所　北海道大学出版会
〒060-0809　札幌市北区北９条西８丁目北大構内
tel. 011-747-2308　fax. 011-736-8605
http://www.hup.gr.jp/

装丁・DTP 編集　ささやめぐみ
印刷　(株)アイワード

ISBN978-4-8329-6891-2